1001 Trucs et Astuces
pour dépenser moins
sans se priver

1001 Trucs et Astuces pour dépenser moins sans se priver

Esme Floyd

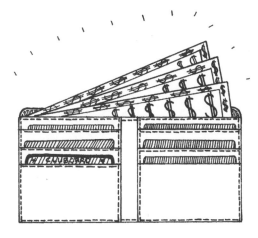

LES ÉDITIONS
LA PRESSE

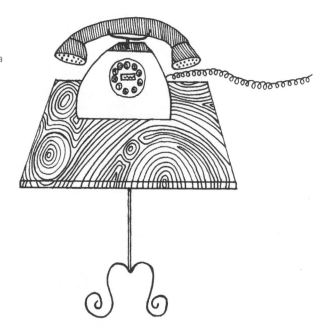

LES ÉDITIONS
LA PRESSE

Président
André Provencher

7, rue Saint-Jacques
Montréal (Québec) H2Y 1K9
514 285-4428

ISBN : 978-2-923681-25-2

SOMMAIRE

Introduction	**6**
Réduisez vos dépenses	**8**
Besoins de base	**40**
Bien manger	**66**
Maison et foyer	**92**
Mode et beauté	**116**
Loisirs et luxe	**148**
Grandes occasions	**186**
Acheter et vendre	**208**
Index	**222**

INTRODUCTION

Même si vous n'êtes pas surendetté, vous considérez peut-être que vous pourriez mieux gérer votre argent. Mais par où commencer pour améliorer votre situation financière ? Comment économiser quelques sous sans pour autant passer pour un radin ?

Véritable mine d'or, ce livre contient une multitude d'informations pour tous ceux qui veulent mieux gérer leur argent et dénicher les bonnes affaires pour économiser. Vous apprendrez à prendre les meilleures décisions en matière de prêts et d'assurance, à vous faire plaisir sans trop dépenser et à trouver les bons plans.

Vous trouverez forcément votre bonheur parmi les 1001 conseils de ce livre. En commençant par ne changer que quelques habitudes, vous vous mettrez sur la voie de la liberté financière ; choisissez les domaines dans lesquels vous pensez avoir besoin de vous améliorer, sélectionnez les conseils qui vous plaisent le plus et lancez-vous.

Top-ten
des astuces pour
dépenser moins

22
MAÎTRISEZ VOS DÉPENSES
(*voir* Équilibrez vos finances, page 12)

56
SOYEZ DIFFICILE
(*voir* Changez votre façon de dépenser, page 19)

219
LISEZ LES PETITES LETTRES
(*voir* Réduisez vos factures, page 54)

281
ACHETEZ EN GROS
(*voir* Dépensez moins
au supermarché,
page 67)

473
FOUILLEZ
(*voir* Travaux de construction,
page 110)

501
**QUI NE DEMANDE
RIEN N'A RIEN**
(*voir* Achats mode, page 116)

698
PROFITEZ DES REPAS
(*voir* Restaurants et bars,
page 155)

716
ADMIREZ LA VUE
(*voir* Théâtre, concerts
et cinéma, page 159)

811
PARTEZ HORS-SAISON
(*voir* Voyages et vacances,
page 178)

853
GOÛTEZ LE VIN
(*voir* Rendez-vous
et sorties pas cher,
page 187)

Emprunts

1 COMPAREZ LES PRIX

Ne croyez pas votre banquier ou votre conseiller financier – ces derniers ne vous conseilleront que sur leurs propres produits. Faites plutôt appel à un courtier qui saura trouver la meilleure affaire parmi un grand choix de produits. Demandez-lui de vous présenter ses offres exclusives, concédées par les grandes entreprises d'assurance et difficiles à trouver ailleurs.

2 PRÉVOYEZ LA FIN

De nombreux contrats de prêt vous engagent pour une durée définie, ce qui signifie que si vous souhaitez rembourser par anticipation, vous devrez payer une pénalité de remboursement anticipé. Soyez donc bien conscient de la durée et des modalités de remboursement prévues dans le contrat. Prenez également connaissance des pénalités prévues en cas de changement d'établissement de crédit.

3 REPORTEZ OU MODIFIEZ

Lorsque vous contractez un crédit, dans la plupart des cas, vous aurez la possibilité de reporter une mensualité à la fin du crédit si, pour des raisons exceptionnelles, vous vous trouvez dans l'incapacité de la payer. En outre, certains des contrats de prêt vous permettent de moduler le montant de vos échéances. Attention toutefois car ces opérations ont un coût.

4 CONSEIL-CLÉ

Avant de contracter tel ou tel emprunt, assurez-vous d'en connaître les tenants et les aboutissants. Veillez à bien comprendre le fonctionnement des emprunts avant de souscrire.

5 DEMANDEZ CONSEIL

Trouver la bonne banque ou le bon courtier est un parcours du combattant. Demandez à vos amis dont la situation financière est similaire à la vôtre de vous faire connaître leur courtier et assurez-vous que celui-ci sait comment vous êtes arrivé à lui – il vous fera peut-être bénéficier d'offres intéressantes.

6 RENSEIGNEZ-VOUS SUR LE COURTIER

Si vous passez par un courtier, renseignez-vous sur le domaine dans lequel il effectue ses recherches – certains courtiers ne se limitent qu'à quelques produits, tandis que d'autres analysent la totalité du marché et offrent ainsi un choix plus large.

7 SOYEZ ALERTE

Même si votre courtier cherche sur l'ensemble du marché, il peut ne pas avoir connaissance de certains produits qui ne sont pas vendus par l'intermédiaire de courtiers. Ainsi, même si votre courtier déniche pour vous une très bonne affaire, passez un peu de temps à consulter les compagnies qui ne passent pas par des courtiers pour effectuer un comparatif.

8 N'AYEZ PAS PEUR DES HONORAIRES

La meilleure façon de s'engager dans un emprunt est de trouver un courtier payé à la commission et non rémunéré en honoraires. Faites tout de même vos calculs – il est malgré tout intéressant de faire appel au courtier qui vous propose la meilleure affaire, même s'il est payé en honoraires.

9 FAITES APPEL À PLUSIEURS COURTIERS

La plupart des courtiers ne vous demandent de les payer qu'une fois le contrat de prêt signé. Rien ne vous empêche donc de faire appel à plusieurs courtiers. Mais assurez-vous qu'ils ne recherchent pas tous de la même façon car vous ne bénéficieriez alors pas d'une si bonne affaire.

10 SOYEZ RAISONNABLE

Lorsqu'il s'agit de payer des honoraires, ne vous laissez pas séduire par les promesses du type : « Vous gagnerez plus que vous ne payerez ! » Veillez à cerner l'ensemble du contrat et demandez l'avis d'un spécialiste avant de signer.

11 PRÉVOYEZ VOS DÉPENSES

Certains établissements de crédit demandent à leurs clients de payer directement les honoraires ou la commission ; pour certains ménages, le montant demandé peut être prohibitif. Si c'est votre cas, insistez pour que ce montant soit inclus dans les remboursements, mais assurez-vous de ne pas avoir à payer plus pour cela.

12 SOYEZ FLEXIBLE

Si votre situation financière est incertaine, tâchez de trouver un produit flexible. Certains prêts vous permettent de rembourser plus ou moins que la somme prévue, voire de suspendre provisoirement le remboursement. Vérifiez auprès de votre établissement de crédit que vous pouvez suspendre les remboursements sans pénalité.

13 COMPTEZ ET RECOMPTEZ

Méfiez-vous des frais de dossier lorsque vous contractez un emprunt. En effet, parfois, le taux d'intérêt est faible mais les frais sont très élevés. Il peut alors être intéressant d'opter pour un taux d'intérêt plus élevé qui implique des frais plus faibles.

14 NE DÉSESPÉREZ PAS

Évitez de faire appel aux « mauvais établissements de crédit » qui font de la publicité à la télévision et dans les magazines. Leurs offres ne sont souvent pas aussi bonnes que celles que vous pourriez trouver ailleurs. Sachez aussi que tous les établissements de crédit proposent de « mauvaises offres ».

15 NE VOUS LAISSEZ PAS SÉDUIRE

Certains établissements proposent la gratuité de certains services : estimation, procédure, assurance. Ne vous laissez pas tromper par ces petits services qui entrent souvent dans le prix total du contrat.
Sortez votre calculatrice !

16 CHOISISSEZ VOTRE TAUX D'INTÉRÊT

Pour attirer les clients et ainsi obtenir des parts de marché, certains établissements de crédit vous offrent parfois des taux d'intérêt variés. Il faut bien chercher pour dénicher celui qui conviendra davantage à votre budget.

17 PRÉVOYEZ UNE RÉSERVE

Pour être sûr de bénéficier du meilleur crédit, prévoyez de verser un montant initial important. Les meilleures offres sont souvent réservées aux emprunteurs qui disposent de plus de 10, 15 voire 25 % de la valeur totale qu'ils souhaitent emprunter. Constituez donc une réserve raisonnable si vous en avez toutefois la possibilité.

18 PENSEZ AUX ASSOCIÉS

Les courtiers doivent vous proposer les meilleurs produits aux meilleures conditions. N'hésitez pas à leur poser les bonnes questions.

19 ASSUREZ VOTRE CRÉDIT

La plupart des établissements de crédit vous proposeront une assurance ; ne vous faites pas avoir et faites assurer votre crédit ailleurs. Les compagnies d'assurance indépendantes vous proposeront de bien meilleures offres, alors comparez !

20 BUDGET, BUDGET, BUDGET

Avant de souscrire un crédit, évaluez précisément votre budget pour savoir combien vous pouvez payer. N'oubliez pas que vous devrez payer votre taxe d'habitation, vos factures, votre assurance, etc. Prenez tout cela en compte pour éviter de vous engager dans un contrat que vous auriez du mal à honorer.

Équilibrez vos finances

21 FIXEZ-VOUS DES OBJECTIFS

Quel que soit votre objectif en matière de gestion de votre argent (tenue du budget, retraite anticipée, économies pour des vacances), gardez-le toujours à l'esprit. Cela vous permettra de vous fixer des sous-objectifs, par exemple économiser tel montant en six mois. Vous pourrez ainsi vous réjouir dès que vous atteignez un sous-objectif.

22 MAÎTRISEZ VOS DÉPENSES

Choisissez un mois (évitez décembre, mois pendant lequel vos dépenses sont exceptionnelles, et février, mois trop court) pendant lequel vous noterez TOUTES vos dépenses : des timbres et du café aux paiements par carte bancaire (différés ou non). Étudiez ensuite vos dépenses et voyez ce dont vous pourriez vous passer.

23 FAITES UNE LISTE

Faites la liste de tous vos actifs. Comptez le liquide que vous avez dans la poche, l'argent que vous possédez sur votre compte, et n'oubliez pas de soustraire vos dépenses par carte bancaire si vous recourez au débit différé. Il vous sera alors plus facile de gérer votre argent si vous savez de combien vous disposez.

24 SACHEZ À QUI APPARTIENT L'ARGENT

Lorsque vous êtes à découvert, n'oubliez pas que l'argent que vous utilisez appartient au créancier et non à vous. Calculez donc les intérêts et les frais à venir lorsque vous vous servez de cet argent.

25 PENSEZ À TOUT

Tout ce que vous possédez peut être transformé en argent ; cela est une solution à envisager lorsque vous cherchez à équilibrer votre budget. Vous ne souhaitez sans doute pas vous séparer de votre télévision ou de votre moto mais leur équivalent en liquide vous aiderait pourtant pendant une période difficile.

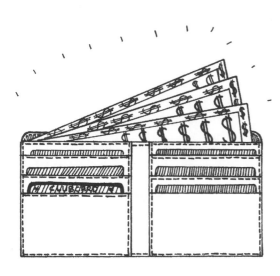

27 PENSEZ À LONG TERME

Lorsque vous envisagez votre avenir financier, sachez que les actifs à long terme, tels que les biens immobiliers, les investissements et certains biens mobiliers (œuvres d'art, antiquités…) gagnent de la valeur au cours du temps et vous aideront à économiser de l'argent pour l'avenir.

28 ÉVALUEZ VOS REVENUS

Lorsque vous estimez vos revenus, ne vous contentez pas de lire votre feuille de salaire, ajoutez les heures supplémentaires et les avantages sociaux. Calculez vos revenus mensuels et essayez de les prévoir à long terme pour savoir précisément de combien vous disposez.

26 PAYEZ COMPTANT

Payez tout ce que vous pouvez comptant. Si vous trouvez cela difficile sur le long terme, faites-le une semaine pour vous rendre compte de ce que vous dépensez. Essayez de ne rien payer par chèque ou par carte de crédit car vous ne pourrez pas garder la trace de ce que vous dépensez réellement. Prévoyez une enveloppe par poste de dépense et voyez si vous parvenez à vous tenir au montant prévu.

29 NE DÉPENSEZ PAS TOUT

Si vous avez l'habitude de dépenser tout ce que vous gagnez au fur et à mesure, changez d'attitude vis-à-vis de votre salaire. Cela sera sans doute difficile mais vous vous sentirez mieux et votre portefeuille aussi. Tenez vos objectifs, vous reprendrez le contrôle de vos finances.

30 GÉREZ VOS DETTES

Voici un fait surprenant : il n'est pas nécessaire d'avoir des dettes pour bien savoir les gérer ! En réalité, réfléchir à la meilleure façon de gérer des dettes AVANT d'en avoir vous permettra de savoir faire face lorsque vous aurez besoin d'emprunter de l'argent.

31 PRÉVOYEZ

Vous perdrez le contrôle si vous laissez votre banquier décider du montant de vos remboursements. Cela est particulièrement vrai pour les emprunts. Les banquiers ont tendance à ne vous prélever que le minimum, ce qui ne réduit pas la somme totale de la dette.

32 VISUALISEZ CE QUE VOUS DEVEZ

Dessinez un graphique qui représentera vos remboursements. Votre diagramme ira du montant initialement dû à zéro. Accrochez-le sur un mur ou sur votre réfrigérateur, et coloriez au fur et à mesure la zone correspondant au montant remboursé. Vous aurez toujours un œil sur votre objectif : vous libérer de votre dette !

33 ACHETER À CRÉDIT

N'achetez à crédit que si vous avez l'argent sur votre compte. Même si cela n'est pas toujours possible, essayez de constituer une réserve qui couvre vos dépenses de quelques mois en prévision d'éventuelles difficultés.

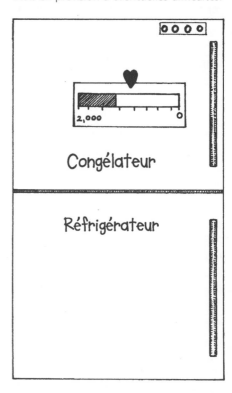

34 FAITES PREUVE DE DISCERNEMENT

Ce n'est pas parce qu'une personne a écrit un livre, un article ou un site Internet lié à la gestion des finances qu'elle est un expert en gestion financière. Comparez les avis ; si plusieurs sources concordent, le conseil est sûrement bon.

35 GARDEZ UNE TRACE

Pour être sûr de ne pas contracter trop de crédits, gardez une trace de tous vos achats. Notez ce que vous avez acheté, la date de l'achat et prévoyez la façon dont vous rembourserez. Par exemple, prévoyez de faire des heures supplémentaires pendant les trois mois à venir pour rembourser le prix de votre voyage acheté à crédit.

36 ÉTABLISSEZ DES PRIORITÉS

Soyez rationnels lorsque vous prévoyez de payer vos dettes. Remboursez en premier les plus importantes et sortez votre calculatrice pour voir combien vous paierez vraiment. C'est seulement ainsi que vous pourrez prendre de bonnes décisions en matière de finances.

Changez votre façon de dépenser

37 FIXEZ UNE LIMITE

Posez-vous la question : « De combien ai-je besoin pour avoir l'esprit tranquille ou pour être heureux ? » Lorsque vous avez la réponse, établissez une stratégie pour y parvenir et prévoyez un délai raisonnable. Demandez conseil.

38 SOYEZ HEUREUX

Tout le monde sait que l'argent ne fait pas le bonheur. L'argent doit faire partie de votre vie, mais votre bonheur doit rester la priorité.

39 VOS PRIORITÉS

Demandez-vous quelles sont vos priorités dans la vie : que voulez-vous ? Ces nouveaux achats sont-ils si importants à l'échelle de votre vie ? Essayez de n'utiliser votre argent que pour rendre votre vie meilleure.

40 FAITES LE POINT

Faites le point de tout ce que vous possédez (sans vous comparer aux autres) et des richesses de votre vie. Réjouissez-vous au lieu de vouloir toujours plus.

41 SIMPLIFIEZ-VOUS LA VIE

Plus votre vie sera simple, plus il sera facile de gérer votre argent et de vivre dans vos moyens. Si vous dépensez beaucoup, vous devrez faire des heures supplémentaires. N'achetez que ce dont vous avez besoin.

42 PRÉFÉREZ LA QUALITÉ À LA QUANTITÉ

Investissez plus de temps, d'argent et d'amour dans moins de choses : un seul animal, une seule voiture, une seule maison. Apprenez à apprécier ce que vous avez et cessez de désirer plus.

43 FAITES VOS COMPTES

Les banques font souvent des erreurs ; faites donc vos comptes régulièrement. Votre banque corrigera rapidement toute erreur éventuelle mais seulement si vous le lui demandez.

44 N'OUBLIEZ PAS LES FRAIS DE PORT

Avant d'acheter en ligne ou par téléphone, ajoutez les frais de port au prix du produit. Certaines entreprises vous attireront avec des produits bon marché mais vous feront payer des frais de livraison excessifs. Pensez à cela lorsque vous comparez les prix.

45 COMPAREZ

Comparez toujours les prix avant d'acheter un objet cher. N'oubliez pas de soustraire les éventuelles réductions avant de comparer le prix des produits pour voir si la réduction est vraiment intéressante.

46 METTEZ LES COMPTEURS À ZÉRO

De nombreuses personnes aiment avoir de l'argent sur leur compte. Néanmoins, si vous avez aussi des dettes, vous risquez de dépenser plus que vous n'avez. En effet, les intérêts des dettes sont toujours plus élevés que les intérêts de l'argent placé. Commencez donc par payer vos dettes avec l'argent dont vous disposez, vous vous sentirez tout de suite mieux. Payez les grosses dettes en premier.

47 NE JETEZ PAS

Ne vous débarrassez pas des objets
dont vous ne vous servez plus,
cela reviendrait à jeter l'argent par
les fenêtres. Vendez-les sur Internet
ou échangez-les contre quelque
chose dont vous auriez plus besoin.

48 CALCULEZ LES INTÉRÊTS

Ajoutez les intérêts et les frais de banque
que vous aurez à payer. Par exemple,
si vous avez prévu de payer votre télévision
en cinq mois, ajoutez au prix de la télévision
les frais et intérêts dans vos calculs pour
ne pas être pris au dépourvu.

49 REMBOURSEZ

Prévoyez de rembourser vos dettes dans un délai défini, trois ou six mois par exemple. N'achetez rien à crédit tant que vous n'avez pas remboursé votre premier achat.

50 NE SOYEZ PAS À DÉCOUVERT

Rien n'est plus gênant que d'être à découvert, de devoir payer des pénalités et d'être privé de chéquier et de carte bancaire. Si vous craignez d'être à découvert, parlez-en avec votre banquier à l'avance pour éviter d'avoir à payer des pénalités.

51 MÉFIEZ-VOUS DES FRAIS

Il est souvent moins risqué de payer en liquide que de payer par carte de crédit ; ainsi, vous savez exactement ce que vous dépensez et vous n'avez pas à vous préoccuper des intérêts. Faites attention, néanmoins, à ne retirer de billets que des distributeurs où votre banque ne vous fait pas payer des frais de retrait.

52 PENSEZ LOCAL

Faire ses courses au supermarché est intéressant. Cela est encore plus intéressant si vous n'allez que dans un seul supermarché. En effet, il est plus économique de tout acheter dans un seul magasin pour dépenser moins en essence et en parking.

53 FAITES UNE LISTE DE COURSES

Faire une liste de courses permet d'éviter de retourner au supermarché pour un oubli et de résister aux achats impulsifs. Barrez les produits au fur et à mesure que vous les mettez dans votre panier ; ainsi vous saurez quand aller à la caisse et ne vous ferez plus avoir par les stratégies de marketing des supermarchés qui, par exemple, exposent les produits les plus tentants près des caisses.

54 PAYEZ VOS ACHATS À CRÉDIT

Gardez à l'esprit que les produits soldés sont beaucoup moins intéressants si vous les payez à crédit car les intérêts viennent augmenter leur prix. De petites dettes peuvent alors rapidement prendre une importance démesurée.

55 AGISSEZ À LONG TERME

Ce n'est pas parce que vous avez dépensé tout votre budget aujourd'hui que vous ne pouvez pas redevenir raisonnable dès demain. Forcez-vous à faire à nouveau attention et essayez de rééquilibrer votre budget en augmentant vos revenus.

56 SOYEZ DIFFICILE

Décidez de ce que vous allez acheter AVANT de bénéficier d'une offre. N'achetez pas un objet sous le seul prétexte qu'il est soldé. Ce mécanisme s'appelle la « fausse économie » – réfléchissez à la somme que vous auriez économisée en n'achetant pas un objet qui ne présentait jusque-là aucun intérêt !

57 SOYEZ UN ACHETEUR AVERTI

Ne vous laissez pas tenter par une offre « Ne payez rien à l'achat » à moins que vous ne soyez complètement sûr de pouvoir rembourser en temps voulu. Si, par exemple, vous êtes en congé maternité ou en congé maladie de longue durée, mais savez que vous gagnerez à nouveau votre vie d'ici peu, repousser le paiement peut être une bonne solution. Mais s'il est probable que vous soyez dans la même situation au moment de commencer à payer, vous risquez de ne pas avoir assez d'argent pour payer votre achat.

Analysez vos habitudes

58 NE SOYEZ PAS TRISTE
Une étude a révélé qu'une personne qui va faire ses courses juste après avoir regardé un film triste a tendance à dépenser plus. Ne regardez donc des films larmoyants que lorsque vous argent est placé en lieu sûr !

59 NE DÉSESPÉREZ PAS
On rencontre toujours quelques obstacles lorsqu'on tente de retrouver une situation financière stable. N'abandonnez pas : repensez à tous les progrès que vous avez faits et parlez-en avec des amis.

60 L'OBJECTIF EST DE PROGRESSER
Revoyez vos attentes à la baisse. Vous n'atteindrez peut-être pas la sécurité financière totale, mais avec quelques efforts vous vous en rapprocherez. Voyez cela comme un processus plutôt que comme un objectif final.

61 ÉCONOMISEZ VOUS-MÊME
Beaucoup de femmes rêvent encore d'être « sauvées » de leurs difficultés financières par un homme. Prenez l'engagement avec vous-même de reprendre le contrôle de vos finances et choisissez l'homme avec qui vous vivez pour le bonheur qu'il vous apporte et non pour l'argent dont il vous fait profiter.

62 COMPRENEZ VOS ÉMOTIONS
Pour dépenser moins d'argent, il faut que vous compreniez la façon dont vos émotions influencent vos dépenses. Demandez-vous quand vous dépensez plus. Quand vous avez le moral ? Quand vous êtes triste ? Si vous identifiez les périodes noires, vous pourrez agir.

63 NE DÉPENSEZ PAS POUR IMPRESSIONNER
Dépenser pour impressionner ses amis (en organisant des dîners exorbitants, en entreprenant des travaux colossaux ou en achetant tous les vêtements à la mode) est une cause fréquente de découvert. Demandez-vous ce que vous cherchez en faisant cela et parlez avec vos amis pour modifier votre façon d'agir.

64 AYEZ TOUJOURS UN LIVRE SOUS LA MAIN

Si vous avez tendance à dépenser quand vous vous ennuyez, tâchez de trouver une autre façon de vous occuper. Vous pouvez par exemple essayer de toujours avoir avec vous un livre captivant ou un lecteur mp3 avec votre musique préférée, à moins que vous ne préfériez aller faire une promenade tonifiante.

65 IDENTIFIEZ VOS FAIBLESSES

Chacun a ses faiblesses – manger au restaurant, faire les boutiques, acheter en ligne ou s'offrir les derniers magazines féminins. Identifiez-les et éliminez ce poste de dépenses.

66 RENTREZ DIRECTEMENT CHEZ VOUS

Si vous passez une mauvaise journée, ne faites pas de détour en rentrant chez vous. Si vous n'avez pas assez de volonté pour vous empêcher d'acheter, demandez à un ami ou un collègue de vous aider. Dites-lui de vous téléphoner pour vous inciter à rentrer directement et à faire les achats dont vous avez vraiment besoin pour vous, ou de vous envoyer un message d'avertissement.

67 ASSOUVISSEZ LE MANQUE

Si vous avez peur de craquer et de tout dépenser parce que le shopping vous manque, créez une enveloppe « divers ». Placez-y un montant précis chaque mois et utilisez-le pour ce que vous voulez.

68 ANALYSEZ VOS SENSATIONS

Parlez avec vos amis des sensations que vous éprouvez lorsque vous achetez et identifiez celle qui vous pousse à dépenser. En parler peut être une bonne façon pour vous de prendre conscience de vos habitudes financières ; partager vos sensations vous aidera à vous sentir moins seul.

69 AYEZ UNE SECONDE SOURCE DE REVENUS

Si vous souhaitez vous faire plaisir tout au long de l'année mais voulez éviter d'être à découvert, pourquoi ne pas envisager d'avoir une seconde source de revenus ? Faites des heures supplémentaires ou revendez certaines de vos possessions en ligne ; enfin, placez ce que vous en aurez retiré dans une enveloppe « divers ».

70 LE FACTEUR ENNUI

L'ennui est l'une des causes des frénésies dépensières. Si vous naviguez sur Internet, fixez-vous une limite. Demandez aux vendeurs de mettre les produits qui vous intéressent de côté (ou enregistrez la page si vous êtes en ligne) et ne les achetez que si vous les désirez encore quelques heures plus tard.

Établissez un budget

71 AYEZ DES PRIORITÉS

Lorsque vous établissez un budget commencez par hiérarchiser vos dépenses. Listez-les par ordre d'importance pour déceler le poste dans lequel vous pourriez dépenser moins. Votre budget devra inclure toutes vos dépenses mensuelles ; prévoyez donc un montant pour les courses, l'essence, mais aussi pour les timbres.

72 PRÉVOYEZ UNE MARGE

Même le budget le plus précis doit envisager les imprévus. Essayez d'avoir une marge au cas où vous devriez réparer votre voiture ou faire des travaux dans votre maison. Ainsi, votre budget ne sera pas déséquilibré au moindre imprévu.

73 ÉTUDIEZ LES REÇUS DE CAISSE

Calculez, pour l'année précédente, le montant total des imprévus, tels que les travaux dans votre maison. Prévoyez le même montant pour l'année à venir et répartissez-le sur les douze mois. Si vous ne dépensez pas cet argent un mois, reportez-le sur le mois suivant.

74 N'OUBLIEZ PAS LES COÛTS ANNUELS

Lorsque vous faites votre budget, n'oubliez pas de regarder vos relevés de compte sur l'année entière et incluez les coûts annuels, tels que les assurances, les adhésions à des associations et les impôts. Divisez le montant total de ces coûts par douze et ajoutez-les à votre budget mensuel.

75 HOUSE AND HOME

Les priorités en matière de dépenses sont la nourriture et le logement. Le logement comprend le prix du loyer, les charges, etc. Les dépenses les moins importantes sont non seulement les petits plaisirs futiles (fast-food, magazines et autres) mais aussi les emprunts non sécurisés et les intérêts des paiements à crédit. Le plus simple reste encore de ne pas contracter de tels emprunts.

76 CALCULEZ VOS REVENUS

Pour que votre budget soit bon, vous devez savoir exactement combien vous gagnez. Si vous êtes payé à la semaine, calculez vos revenus mensuels en multipliant votre salaire hebdomadaire net par treize et en divisant le résultat par trois.

77 NE VOUS AFFOLEZ PAS

Lorsque l'on établit un budget, il est fréquent de se rendre compte que l'on dépense plus que l'on ne gagne. Ne vous affolez pas, c'est justement la raison pour laquelle vous avez besoin d'un budget ! Occupez-vous des priorités en premier puis envisagez des solutions pratiques pour le reste de vos dépenses.

78 FAITES VOS COMPTES TOUS LES MOIS

Prenez l'habitude de réévaluer votre budget tous les mois et respectez-le. Ainsi vous pourrez faire quelques extras pour les anniversaires, les sorties, et les loisirs tout en gardant le contrôle de vos finances.

79 ÉVITEZ LES MARQUES

Pour réduire vos dépenses, achetez des produits sans marque ou de la marque du supermarché pendant quelques semaines pendant quelques mois, jusqu'à ce que votre budget soit équilibré. Puis, lorsque vous avez repris le dessus, achetez à nouveau des marques, si vous en avez toujours envie.

80 PAIEMENTS PARTIELS

Si vous avez du mal à payer certaines factures, contactez le prestataire de service et demandez-lui si vous pouvez effectuer des paiements partiels pendant quelques mois, le temps que vous vous remettiez à flot. La plupart des prestataires se montreront cléments si vous les appelez à temps.

81 ORGANISEZ-VOUS

Si une dépense n'est pas une priorité, reportez-la au budget du mois suivant. Si vous ne pouvez pas payer une facture ou payer un acompte, contactez votre créditeur et dites-lui quand vous pourrez payer. Ne laissez pas votre créditeur prendre les décisions pour vous.

Votre semaine de travail

82 N'AYEZ QU'UNE COMPAGNIE D'ASSURANCE

De nombreuses compagnies d'assurance offrent des réductions intéressantes aux clients qui assurent plusieurs biens chez elles. Lorsque vous cherchez une nouvelle compagnie d'assurance, renseignez-vous sur les regroupements possibles (maison, voiture, assurance-vie…).

83 GARDEZ L'ÉQUILIBRE

Cela peut sembler évident mais il faut savoir que la clé d'un bon budget consiste à dépenser moins que l'on ne gagne. Si vous pensez ne pas pouvoir dépenser moins, arrangez-vous pour gagner plus sans quoi votre situation financière ne s'arrangera pas.

84 ÉPARGNEZ

Si vous n'arrivez pas à mettre de l'argent de côté régulièrement, essayez de fixer un montant que vous épargnez chaque mois. Avoir une réserve vous permet de ne jamais être dans le rouge même en cas d'urgence. Même si le montant épargné chaque mois est faible, votre réserve vous servira sans doute un jour.

85 PRATIQUEZ LE COVOITURAGE

Si vous allez travailler en voiture, essayez de faire du covoiturage. Votre objectif doit être de remplir votre voiture ; cela vous permettra de ne payer les frais de transports qu'une fois par semaine. Renseignez-vous aussi auprès de votre employeur pour la mise en place d'un système de transport bon marché pour les salariés de l'entreprise. Les employeurs bénéficient souvent de réduction d'impôts en compensation de la création d'un tel service. Tout le monde sera content !

86 BUVEZ BON MARCHÉ

Si votre entreprise n'offre ni thé ni café, apportez votre boisson dans une bouteille isotherme ou achetez des sachets de thé ou du café soluble. S'il n'y a pas d'eau gratuite sur votre lieu de travail, apportez de grandes bouteilles d'eau vous pour éviter d'acheter des petites bouteilles, bien plus chères.

87 MANGEZ SUR PLACE

Aller prendre un verre avec des collègues en sortant du travail est une bonne façon de décompresser, mais cela vous oblige souvent à manger dehors. Si vous avez prévu de sortir après le travail, emportez de quoi dîner avant de partir du travail.

88 PRÉPAREZ VOTRE LUNCH

La meilleure façon de réduire vos dépenses liées au travail consiste à préparer votre déjeuner. Il revient toujours plus cher d'acheter un sandwich ou de manger dehors et cela est souvent moins sain. Essayez donc de vous lever cinq minutes plus tôt et préparez-vous un sandwich ou une salade.

89 SOYEZ PLUS EFFICACE

Pour éviter les coûts liés aux transports, demandez à votre employeur si vous pouvez travailler de chez vous. Une personne qui travaille de chez elle gagne en moyenne huit semaines de travail par an. Même en ne travaillant qu'une heure de plus par jour, vous gagnerez donc beaucoup plus.

90 PENSEZ À LA LESSIVE

Réduisez vos dépenses en portant des vêtements qui n'ont pas besoin d'être nettoyés à sec car cela revient vite très cher. Préférez des habits que vous pouvez laver vous-mêmes.

91 À VÉLO

Si vous travaillez près de chez vous, vous rendre sur votre lieu de travail à vélo vous permettra d'économiser en frais de transport et de vous dépenser. Commencez par n'y aller que quelques jours par semaine puis augmentez la fréquence jusqu'à aller au travail à vélo tous les jours. Vous prendrez plaisir à faire de l'exercice le matin et à voir qu'il vous reste de l'argent dans la poche.

92 CHOISISSEZ LES TRANSPORTS PUBLICS

Dès que possible, préférez les transports publics à votre voiture. Cela revient toujours moins cher si l'on prend en compte l'essence, l'entretien de la voiture et le prix du parking. Si vous n'avez pas le choix, optez pour une voiture qui consomme peu.

93 LA FATIGUE TUE LES FINANCES

Il est très fréquent de dépenser inutilement lorsque l'on est fatigué ou que l'on a faim à la fin d'une journée ou d'une semaine de travail. Essayez de ne dépenser que lorsque vous vous sentez en forme, pendant votre heure de dîner par exemple.

94 ÉVITEZ LES DISTRIBUTEURS

Évitez d'acheter dans les distributeurs, même s'ils sont subventionnés par votre entreprise, car les produits sont souvent plus chers qu'ailleurs. Achetez plutôt vos en-cas et vos boissons au supermarché et emportez-les au travail.

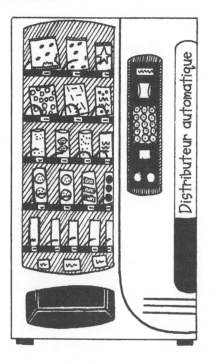

95 ACHETEZ UNE BOUTEILLE ISOTHERME

Si le trajet qui vous conduit sur votre lieu de travail est long, vous risquez d'être tenté d'acheter un thé ou un café, voire un petit-déjeuner. La somme de ces petites dépenses peut être colossale. Achetez une bouteille isotherme et buvez votre propre café ; vous économiserez une fortune chaque année. Une fois par semaine, faites-vous un petit plaisir en achetant votre café du matin sur la route.

96 ACHETEZ EN GROS

Au lieu d'acheter une pomme, une orange ou une barre chocolatée à la cafétéria, achetez chaque semaine un filet de fruits ou un sachet de chocolats au supermarché. Cela vous fera des en-cas pour toute la semaine. Cette option est très économique et elle vous évitera d'avoir à acheter des snacks tous les jours.

97 SOYEZ SOIGNEUX

Si vous portez un costume tous les jours pour aller travailler, investissez dans des vêtements de bonne qualité et prenez-en soin pour ne pas avoir à les remplacer trop souvent.

Communications

98 VITESSE DE CONNEXION

Ne tenez pas compte de la vitesse de connexion maximale indiquée par les serveurs. En réalité, votre vitesse de connexion est souvent bien inférieure car elle dépend de la qualité et de la rapidité de la ligne qui relie votre maison au relais. Renseignez-vous sur la vitesse maximale que vous pourrez obtenir avant de signer le contrat pour une connexion plus rapide.

99 LIGNE DE TÉLÉPHONE FIXE

Certaines personnes décident de ne pas faire installer de ligne téléphonique fixe à la maison et de n'utiliser que leur portable. Vérifiez bien les chiffres avant de faire ce choix. Assurez-vous que c'est vraiment plus rentable ainsi.

100 INCLUEZ LA LIGNE

Faites attention aux forfaits qui comprennent des appels illimités mais qui n'incluent pas le prix de la ligne téléphonique. Un prix extrêmement bas peut ainsi ne pas se révéler intéressant. Lisez toutes les clauses et choisissez l'offre la plus avantageuse dans sa totalité.

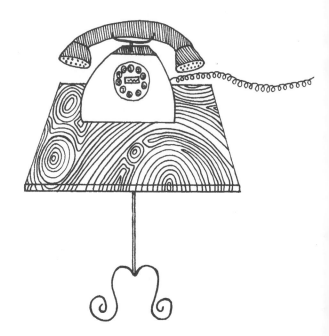

101 TROUVEZ LA BONNE AFFAIRE

De nombreux opérateurs téléphoniques proposent désormais des forfaits beaucoup plus intéressants que les abonnements standards. Étudiez votre facture de téléphone et envisagez la possibilité de souscrire un forfait avec soirées et week-ends gratuits pour réduire vos dépenses. Renseignez-vous sur tous les forfaits et choisissez celui qui correspond le plus à vos besoins.

102 SOYEZ REGARDANT

La télévision par satellite et par le câble offrent un grand confort mais veillez à ne pas payer ces services trop cher – ne continuez pas à payer des chaînes si vous ne les regardez pas et renseignez-vous régulièrement auprès de votre fournisseur d'accès pour vérifier qu'il n'existe pas d'option moins chère.

103 CONNEXION ILLIMITÉE

Si votre fournisseur d'accès à Internet vous propose une connexion « illimitée », lisez les petites lettres pour vérifier qu'il n'existe pas de frais cachés qui pourraient gonfler votre facture plus que prévu.

104 PROFITEZ D'INTERNET

Pour appeler à l'étranger, vérifier qu'il est plus économique d'utiliser votre ordinateur que votre téléphone. De plus, vous pourrez parler en visiophonie. Il existe des logiciels qui permettent de téléphoner gratuitement par Internet.

107 SOUSCRIVEZ LE BON FORFAIT

Assurez-vous de ne pas dépasser le temps de communication prévu par votre forfait de téléphone portable, sans quoi vous risquez de payer des frais très élevés. Évaluez précisément le temps de communication dont vous avez besoin avant d'opter pour tel ou tel abonnement.

108 APPELEZ LE SOIR

La plupart des opérateurs proposent la gratuité des appels le soir et le week-end. Essayez d'appeler vos amis lorsque les communications sont à tarif réduit, voire gratuites.

Les dépenses de la famille

105 LIMITEZ LA DURÉE VOS APPELS

Si vous avez du mal à réduire la durée de vos appels téléphoniques, utilisez un chronomètre. Au bout de 15 minutes, efforcez-vous d'arrêter la conversation.

106 PRENEZ UN FORFAIT

Si vous avez une ligne fixe et une connexion à Internet, il y a de grandes chances pour que vous puissiez économiser en achetant un forfait auprès d'un seul fournisseur. Sachez que les forfaits peuvent inclure le câble. Cette solution a deux avantages : vous n'avez qu'une facture et vous économisez une somme assez importante chaque année.

109 AUGMENTEZ L'ARGENT DE POCHE

Chaque année, augmentez l'argent de poche de vos enfants à une date particulière, le jour de leur anniversaire ou à la rentrée des classes par exemple.

110 PARLEZ

Les enfants posent souvent des questions sur l'argent – par exemple pour savoir qui est riche et qui ne l'est pas. Expliquez-leur que certaines personnes ont des difficultés financières, tandis que d'autres non ; ces dernières peuvent néanmoins avoir des difficultés sur d'autres plans. Dites-leur également que l'argent est une question privée.

111 REGARDEZ-LA SE REMPLIR

On trouve dans le commerce de nombreuses tirelires. Les plus appropriées sont les tirelires transparentes car elles permettent aux enfants de voir leur cagnotte grossir. Encouragez vos enfants à noter leurs dépenses et leurs gains : achat de bonbons, argent de poche… Lorsque la tirelire de votre enfant est pleine, aidez-le à compter ce qu'il a et à décider de ce qu'il fera de cette somme.

112 RESTER CHEZ SOI OU TRAVAILLER ?

Si vous être en congé maternité, faites vos comptes avant de retourner travailler : d'un côté, il y a vos salaires, de l'autre la garde d'enfant, les frais de transports et les dépenses courantes (les dîners sont souvent plus chers au travail). Assurez-vous de choisir la meilleure option financière qui soit.

113 GARDEZ L'ARGENT EN SÉCURITÉ

Donnez à votre enfant un endroit sûr où mettre son argent. Lorsque votre enfant fait du lèche-vitrines, il est préférable qu'il utilise un sac banane afin qu'il ne risque pas de perdre son porte-monnaie. S'il vous demande de le porter, ne refusez pas mais encouragez-le à être indépendant.

114 PENSEZ À LONG TERME

Lorsque vos enfants feront des études, vous aurez sans doute des dépenses supplémentaires. Essayez de rembourser votre emprunt immobilier avant qu'ils ne soient en âge d'aller à l'université pour disposer d'un budget plus conséquent.

115 FAITES-LES TRAVAILLER

Vous donnerez sans doute de l'argent de poche à vos enfants. Néanmoins, ne leur accordez pas gratuitement. Couvrez leurs dépenses nécessaires en leur donnant un petit montant et proposez-leur de faire quelques tâches ménagères s'ils souhaitent gagner plus.

116 PAYEZ LA DIFFÉRENCE

Si votre enfant désire un objet cher, enseignez-lui la valeur de l'argent. Soyez honnête et dites-lui que l'objet est trop cher. Proposez-lui néanmoins de l'aider à payer s'il économise la moitié du prix. Il choisira alors entre l'option que vous lui proposez et un objet moins cher. Quoi qu'il en soit, il aura compris la valeur de l'argent.

117 OUVREZ-LEUR UN COMPTE

Dès que vous le pouvez, ouvrez un compte d'épargne à vos enfants et encouragez-les à gérer leur argent – allez à la banque avec eux pour qu'ils déposent leurs économies et montrez-leur les relevés de compte pour qu'ils voient leur pécule grandir.

118 COMMENCEZ TÔT

Les jeux tels que le Monopoly ou Jour de Paye permettent d'expliquer aux enfants comment gérer leur argent. Jouez avec eux et encouragez-les à vous poser des questions. Dès qu'un de vos enfants est assez grand pour comprendre ou dès la première fois qu'il reçoit de l'argent, aidez-le à le dépenser raisonnablement. Par exemple, s'il reçoit de l'argent pour son anniversaire, aidez-le à décider de ce qu'il va en faire, sans toutefois choisir pour lui.

118 COMPAREZ

Aller au supermarché avec ses enfants lorsqu'ils sont adolescents est une très bonne manière de leur enseigner la valeur de l'argent. Apprenez-leur à comparer les prix et faites-les participer au choix de la marque d'un produit, les céréales par exemple.

120 PLANIFIEZ

Planifiez vos dépenses pour être sûr de pouvoir aider et profiter de votre famille à tout moment. Si vous pensez à votre retraite alors même que vos enfants sont jeunes, vous serez plus sereins pour profiter d'éventuels petits-enfants dans l'avenir.

121 JOUEZ À LA MARCHANDE

Expliquez à vos jeunes enfants comment l'argent fonctionne en jouant à la marchande. Achetez de la fausse monnaie et de petits objets dans des magasins de charité. Si vous n'en trouvez nulle part, utilisez vos propres sous et des boîtes de conserve de votre cuisine.

122 SOYEZ JUSTE

Si l'un de vos enfants parvient moins bien à économiser que ses frères et sœurs, aidez-le à gérer son argent plutôt que de lui en donner dès qu'il n'a plus rien. Cette dernière option donnerait l'impression que l'enfant qui sait économiser gagne moins que celui qui n'y arrive pas.

123 SOUTENEZ-LES MAIS NE DÉCIDEZ PAS

N'oubliez pas que l'argent de vos enfants appartient à vos enfants eux-mêmes. Encouragez-les à dépenser et à économiser raisonnablement mais laissez-les prendre leurs propres décisions en termes de gestion de leur argent.

124 REGROUPEZ-VOUS

Pour réduire les frais de gardiennage, créez un groupe de parents dans lequel chacun garde les enfants des autres à tour de rôle. Organisez les gardes de façon informelle ou mettez au point un système grâce auquel vous vous assurez que tous les membres font le même nombre de gardes. Une fois le système établi, profitez de vos sorties !

125 ADHÉREZ AU CLUB

Certains supermarchés ou grands magasins mettent à la disposition de leurs clients des garderies d'enfants qui sont le plus souvent gratuites. N'hésitez pas à y laisser vos bambins, vous économiserez des frais de gardiennage.

126 PENSEZ À L'AVENIR

Si vous veniez à être malade ou à avoir un accident, votre famille pourrait-elle subvenir à ses besoins ? Si ce n'est pas le cas, souscrivez une assurance-maladie privée pour maintenir vos revenus dans le cas où vous ne pourriez plus travailler. Cela est particulièrement important si vous être travailleur indépendant.

127 ÉTABLISSEZ UN TESTAMENT

Dans certains cas, le fait de ne pas faire de testament revient à jeter l'argent par les fenêtres. Prévoyez – en particulier si vous avez des enfants – ce qu'il adviendra de votre famille ainsi que de votre argent et de vos biens lorsque vous ne serez plus là.

128 ÉCHANGEZ

Réunissez quelques amies qui ont des enfants et demandez à chacune d'apporter cinq objets dont elles ne se servent pas et qu'elles veulent échanger contre autre chose – vêtements, livres, DVD, jouets… Chacune doit apporter exactement cinq objets ; fixez une valeur moyenne pour le total.

129 PRENEZ UNE ASSURANCE-VIE

Personne n'aime penser à sa mort mais prendre une assurance-vie est une bonne façon de veiller à ce que votre famille ait de quoi vivre au cas où le pire arriverait.

130 CHOISISSEZ LA QUALITÉ

Achetez les produits les moins chers mais veillez à ne pas faire de fausses économies. Par exemple, acheter des couches bon marché ne constitue une économie que si ces couches sont aussi résistantes que les autres et ne doivent pas être changées plus souvent.

131 DES PETITS PLAISIRS POUR TOUTE LA FAMILLE

Les enfants adorent les petits plaisirs même s'ils ne coûtent pas cher. Ils aiment par exemple aller au parc ou faire une promenade dans la nature, manger une glace sur la plage ou choisir le menu du petit-déjeuner ou du dîner. Même de petits changements dans la routine, tels que manger du maïs soufflé devant un DVD, peuvent leur paraître extraordinaires.

Ménages avec un seul salaire

132 FAITES UN TABLEAU

Faites un tableau à l'ordinateur ou à la main pour garder une trace de vos dépenses et de vos ressources. Vous garderez ainsi le contrôle de vos dépenses.

133 CONCENTREZ-VOUS SUR L'ESSENTIEL

Si vous vivez seul ou si votre ménage ne dépend que d'un seul salaire, il est primordial de bien distinguer l'essentiel du superflu. Faites une liste de ce dont vous avez besoin et une liste de ce que vous désirez. Réduisez cette dernière le plus possible.

134 CHERCHEZ LES BONNES RAISONS

Lorsque vous sortez votre porte-monnaie pour payer, demandez-vous s'il y a trois bonnes raisons qui font que vous avez vraiment besoin de cet objet. Se poser la question avant d'acheter est une excellente façon de changer vos habitudes.

135 APPRENEZ À TENIR VOS COMPTES

Prenez l'habitude de mettre vos comptes à jour chaque jour en notant toutes vos dépenses. Vous n'y passerez ainsi que très peu de temps à chaque fois; essayez donc d'inclure cette activité dans votre programme de la journée (avant le souper ou une fois que vos enfants sont couchés par exemple).

136 METTEZ LES GROSSES ENTRÉES À LA BANQUE

Si vous recevez une grosse somme d'argent (cadeau, prime, etc.) et que votre ménage ne dépend que d'un seul salaire, placez cet argent et réservez-le aux cas d'urgence.

137 DEMANDEZ CONSEIL À UN AMI

L'un des inconvénients de vivre seul est que vous devez prendre toutes les décisions vous-même. Demandez à un ami de vous aider à discerner si telle ou telle dépense est indispensable. Cet ami peut même vous aider à prendre des décisions sur de petites dépenses. Une autre possibilité consiste à entrer dans un club financier, dont le principe est le même.

138 COMPTEZ LES INTÉRÊTS

Lorsque vous faites vos comptes, n'oubliez pas que vos crédits peuvent générer des intérêts. Pensez à inclure ces intérêts dans votre budget afin de ne pas accumuler les dépenses.

L'argent de l'étudiant

139 ACCORDEZ-VOUS UN BUDGET

Si votre principale source de revenu est une bourse versée en une seule fois, répartissez la somme de façon à avoir de l'argent jusqu'au versement suivant. Calculez le nombre de semaines qui séparent deux versements et fixez-vous une limite par semaine. Gérer un budget de façon hebdomadaire est une bonne idée car, si vous faites un excès, vous n'aurez que quelques jours à attendre avant de disposer à nouveau d'une somme d'argent.

140 GARDEZ DE LA MONNAIE

Pourquoi ne pas économiser un peu d'argent dans une tirelire afin de toujours avoir de la monnaie pour des achats urgents à la fin de la semaine ? Dressez la liste des achats indispensables afin de ne pas vous laisser tenter par des extras inutiles.

141 ACHETEZ DES LIVRES D'OCCASION

Essayez d'acheter des livres d'occasion, chez les libraires locaux, à la bibliothèque, sur des sites Internet tels qu'eBay… Faites des échanges de livres avec des amis et tâchez d'aller à la bibliothèque, en particulier pour les livres que vous ne relirez sans doute pas.

142 AYEZ UN AGENDA

Maintenez votre agenda à jour. Notez les dates de clôture des demandes de prêts et bourses. En effet, manquer la date limite est le meilleur moyen de voir votre demande refusée et de vous retrouver dans une situation des plus inconfortables.

143 TIREZ BÉNÉFICE DE CE QUI VOUS PLAÎT

Adhérez aux associations de votre université. Être dans une équipe de sport vous permettra peut-être d'assister à une compétition, et être membre d'une association d'anglais vous donnera sans doute la possibilité d'aller voir des films ou des pièces de théâtre anglophones.

144 SOYEZ MALIN

Si vous souhaitez vous acheter un ordinateur, pensez aux offres pour étudiants (réductions, offres spéciales…).

145 PARLEZ-EN

Vous ferez de grosses économies en parlant avec d'autres étudiants. En vous échangeant des informations sur les produits soldés, vous connaîtrez toutes les offres disponibles sans avoir à faire de longues recherches. Achetez les mêmes produits que vos colocataires par exemple pour tenter d'obtenir des prix de groupes.

146 DEMANDEZ UNE RÉDUCTION

Aller au cinéma ou à un concert, prendre un bus, manger au restaurant voire commander des pizzas est souvent moins cher lorsque l'on montre sa carte d'étudiant. Demandez aux magasins locaux et aux agences de voyages s'ils ont des offres pour les étudiants. Pour résumer, où que vous alliez, renseignez-vous sur les réductions pour les étudiants, vous serez sans doute surpris de voir tout l'argent que vous économiserez.

147 DÉBARRASSEZ-VOUS DE VOS CARTES DE CRÉDIT

Pour éviter d'avoir des dettes, n'utilisez qu'une seule carte de crédit et utilisez-la le moins possible. Fixez-vous une limite. Ce n'est pas parce que votre banque met une carte à votre disposition que vous devez l'utiliser. Débarrassez-vous de vos autres cartes de crédit.

Forme et santé

148 ALLEZ À L'ÉCOLE

Si vous vivez près d'une école, renseignez-vous pour savoir si son gymnase est ouvert au public pendant les vacances. Certaines écoles mettent à disposition leur salle de sport pour un prix nominal.

149 TROUVEZ UN PARTENAIRE DE COURSE

Courir est la meilleure façon de rester en forme sans dépenser un sous. Mais vous risquez de vite vous décourager si vous y allez seul. Trouvez un partenaire qui a les mêmes objectifs que vous et encouragez-vous mutuellement.

150 TESTEZ LA SALLE

Avant de vous inscrire à une salle de sport, vérifiez que l'ambiance et les appareils vous conviennent. Profitez des offres « première journée gratuite » que proposent de nombreux clubs. Essayez de trouver sur Internet des coupons qui prolongent la période d'essai ou demandez à vos amis de vous parrainer pour obtenir des journées gratuites.

151 SUIVEZ VOTRE COURS SUR DVD

Au lieu de vous morfondre chez vous parce que vous n'avez pas assez d'argent pour payer votre abonnement à la salle de sport, réunissez quelques amis et suivez ensemble un cours de fitness sur un DVD. Mettez-vous d'accord avec vos partenaires pour que chacun achète un ou deux DVD. Si vous en avez plusieurs, vous pourrez varier les plaisirs.

152 PROFITEZ DES CENTRES DE LOISIRS

Les centres de loisirs communautaires et les salles de sport universitaires font payer des droits d'entrée très bas et mettent à disposition de très bons équipements. Renseignez-vous sur les abonnements qu'ils proposent, ceux-ci sont souvent les plus intéressants.

153 INVESTISSEZ

Sachez que 20 % des personnes qui s'inscrivent à une salle de gym en janvier ont cessé d'y aller en juin et 20 % de plus arrêtent d'y aller entre juin et décembre. Assurez-vous d'avoir le temps et la volonté avant de vous inscrire à l'année.

154 POUR LE NOUVEL AN

La plupart des salles de sport enregistrent la majorité de leurs inscriptions en janvier. À cette période de l'année, elles se démènent pour proposer la meilleure offre à leurs clients : appareils photos ou lecteurs mp3 gratuits, frais d'adhésion offerts, un mois offert, etc. Faites marcher la concurrence.

155 FAITES DU SPORT AVEC VOS ENFANTS

Si vous avez des enfants, ne les laissez pas se dépenser sans vous. Jouez avec eux à chat perché, au football, emmenez-les faire du vélo ou une promenade au parc. Vous pouvez aussi rester chez vous, mettre de la musique et danser en famille. Cela reviendra moins cher qu'un abonnement à une salle de sport et ce sera beaucoup plus amusant.

156 FAITES COURT

Le principal défaut des abonnements aux salles de gym est la durée des contrats. Lorsque vous signez, vous devez payer pour toute l'année, même si vous cessez d'y aller. Cela revient plus cher qu'il n'y paraît, d'autant que vous devez payer les frais d'adhésion en plus de l'abonnement. Si vous n'êtes pas sûr de vous, demandez à signer un contrat de six mois. Il sera un peu plus cher, mais vous obtiendrez sans doute un prix si vous demandez ensuite à passer à un contrat annuel.

157 ARRÊTEZ DE FUMER

En plus d'être mauvais pour la santé, fumer revient très cher. En arrêtant de fumer, vous ferez du bien à vos finances.

158 BUVEZ MOINS

La consommation d'alcool en trop grande quantité est non seulement mauvaise pour la santé, mais aussi très calorique et horriblement chère. Deux ou trois soirs par semaine, évitez de boire de l'alcool ; vous sentirez la différence dans votre corps et dans votre portefeuille.

159 SORTEZ

Ce n'est pas parce que vous ne pouvez plus vous offrir d'abonnement à la salle de sport que vous devez arrêter de faire du sport. Investissez dans des haltères bon marché et trouvez un grand escalier ou une colline pour vous entraîner ! Vous pouvez aussi adhérer à un club de sport local, l'abonnement y est toujours moins cher que dans les salles.

160 SOYEZ RAISONNABLE

Si vous craignez de devoir déménager ou d'avoir des changements dans votre mode de vie qui pourraient compromettre votre capacité à aller à un club de sport au cours de l'année, réfléchissez-y à deux fois avant de signer un contrat annuel non remboursable.

161 FAITES DU BIEN À VOTRE ARGENT

Si vous avez l'habitude d'aller vous faire masser une fois par semaine, demandez à votre masseur de vous donner des petits conseils pour pratiquer l'automassage et réduire ainsi vos dépenses. N'allez plus chez le masseur que toutes les deux semaines et massez-vous vous-même l'autre semaine.

162 MARCHANDEZ

La plupart des salles de sport emploient une équipe de personnes payées à la commission pour recruter de nouveaux membres. C'est une bonne nouvelle pour vous car cela signifie que leurs prix sont flexibles. N'acceptez pas la première offre qu'ils vous font et essayez d'obtenir des promotions supplémentaires, telles qu'une réduction des frais d'inscription ou des entrées gratuites pour vos amis.

163 OFFRES D'ENTREPRISE ?

Avant de vous inscrire à une salle de gym, renseignez-vous pour savoir si votre entreprise a des accords avec des clubs de sport. En effet, de nombreuses grandes entreprises ont des partenariats avec des salles de sport.

164 TROP BEAU POUR ÊTRE VRAI

Inutile d'acheter les gadgets de fitness, les compléments alimentaires ou tout autre produit censé vous remettre en forme du jour au lendemain ou vous faire perdre du poids sans régime. Si c'est trop beau pour être vrai c'est sans doute que ce n'est pas vrai ; gardez votre argent et retrouvez la ligne intelligemment.

165 MARCHEZ

Avec un peu d'organisation, vous réussirez à vous dépenser au quotidien. Dès que vous le pouvez, marchez au lieu de prendre votre voiture ou d'emprunter les transports en commun. Une marche rapide de 20 minutes est aussi bonne pour la forme qu'une séance d'entraînement à la salle de sport.

166 ENTRAÎNEZ-VOUS CHEZ VOUS

Transformez les tâches domestiques en séance de sport. Tondez la pelouse, désherbez le jardin, ratissez les feuilles ou déblayez la neige. Même le ménage (passer l'aspirateur ou récurer la salle de bain) constitue un entraînement si vous augmentez votre rythme cardiaque. Mettez de la musique et lancez-vous.

167 FIXEZ-VOUS DES OBJECTIFS

Lorsque vous vous entraînez chez vous, fixez-vous des objectifs et des dates limites. Accordez-vous une récompense à chaque fois que vous atteignez un objectif comme le ferait un coach sportif. De cette façon, vous risquez moins de vous décourager.

168 JOUEZ

Certains jeux vidéo commercialisés depuis peu sont conçus pour vous faire bouger et vous permettre de rester en forme. Si l'un de vos amis possède une console de jeux, pourquoi ne pas lui emprunter deux ou trois fois par semaine et investir dans un jeu de remise en forme?

169 COURS DE SPORT EN PLEIN AIR

Les cours de sport en plein air combinent gymnastique et lever de poids. Ces cours sont souvent beaucoup moins chers que les autres cours de remise en forme et ils constituent un très bon moyen de rester en forme et de faire de nouvelles rencontres.

170 RECYCLEZ VOTRE VÉLO

Si vous ne pouvez pas vous offrir un abonnement à une salle de sport, vous n'avez sans doute pas non plus les moyens de vous acheter un vélo stationnaire. Sachez néanmoins qu'il existe des « home trainers », de petites machines bon marché qui transforment votre vélo en vélo stationnaire en surélevant la roue arrière.

171 IMPROVISEZ

Si vous n'êtes pas prêt à mettre un sous dans un
équipement de sport, utilisez ce que vous avez
sous la main : boîtes de conserve, sacs de lait ou
carafes d'eau en guise d'haltères, et escabeau
pour faire du step.

172 GAREZ-VOUS PLUS LOIN

Si vous allez travailler en voiture, garez-
vous à 15 minutes à pied de votre
travail. Ainsi, vous dépenserez
moins d'essence et n'aurez plus
à payer un abonnement à une
salle de sport car 30 minutes
de marche par jour constituent
déjà un excellent exercice.

173 ACHETEZ D'OCCASION

Achetez du matériel d'occasion. Allez dans les
magasins de sport qui vendent des équipements
d'occasion. Consultez les petites annonces
et allez dans les magasins caritatifs. Vous trouverez
aussi de bonnes affaires sur Internet ; assurez-vous
néanmoins que les frais de port, souvent élevés
en raison du poids des équipements, ne rendront
pas le matériel trop cher.

174 PARTEZ DU BON PIED

La course à pied est un très bon exercice qui ne coûte rien si ce n'est le prix de bonnes chaussures. Néanmoins, sachez que les meilleures espadrilles ne sont pas nécessairement les plus chères. Une étude a révélé que les chaussures de course milieu de gamme sont aussi adaptées que les chaussures de course les plus chères si tant est qu'elles soient à la bonne taille.

175 BOXEZ

Au lieu de dépenser beaucoup d'argent dans du matériel de sport, investissez dans du matériel de boxe d'occasion (gants, sac de sable et corde à sauter) et entraînez-vous chez vous deux ou trois fois par semaine. Suspendez le sac dans votre garage ou dans une chambre. Si vous n'avez pas la place, boxer contre un partenaire imaginaire fera aussi l'affaire.

176 ÉVITEZ LES VISITES À RÉPÉTITION

Les praticiens de la santé tels que les ostéopathes vous invitent souvent à revenir suivre des séances régulières pour effectuer un « contrôle de routine ». Avant d'accepter, demandez-vous si vous en avez vraiment besoin et si ce n'est pas juste un moyen pour le praticien de gagner plus d'argent.

177 PARTAGEZ VOTRE COACH

Si vous ne pouvez pas vous offrir un coach personnel, proposez à un ou plusieurs amis de suivre les séances avec vous. Non seulement vous partagerez le prix de la séance mais vous aurez aussi des partenaires avec qui vous entraîner et aurez donc besoin de moins de séances avec l'entraîneur.

178 PENSEZ GLOBAL

Évitez le matériel qui ne fait travailler qu'une partie du corps, les cuisses par exemple. Il est, en effet, inutile de cibler des zones. Pour perdre du poids et être en forme, préférez les activités qui agissent sur tout le corps et qui ne coûtent pas cher telles que la marche, la course à pied ou le vélo.

179 AYEZ UNE BALLE

L'un des meilleurs instruments pour s'entraîner chez soi est la ballon d'exercice. Cette balle gonflable géante sert à travailler l'équilibre et la posture tout en ciblant certains groupes de muscles. Vous pouvez même l'utiliser en regardant la télévision.

180 LESTEZ-VOUS

Si vous voulez intensifier votre séance d'entraînement sans avoir à la prolonger, utilisez un gilet d'exercice ou des bracelets-poids aux poignets et aux chevilles. Votre séance sera plus intense sans que vous n'ayez à dépenser des mille et des cents.

181 UTILISEZ UNE SERVIETTE

Si vous faites du yoga ou du stretching, ou que vous pratiquez la méthode Pilates chez vous, préférez le « matériel » que vous avez sous la main à un équipement qui reviendrait forcément cher. Par exemple, une serviette roulée peut très bien faire office d'appuie-tête et un morceau de caoutchouc ou de vinyle bon marché remplace très bien un tapis de sol.

Médecine et pharmacie

182 LA SANTÉ SUR LE LIEU DE TRAVAIL

Dans certains pays, tels que les États-Unis, il est possible de réduire ses frais de santé en participant à des programmes de bien-être sur son lieu de travail. En effet, de nombreuses entreprises offrent des chèques-cadeaux à leurs employés qui remplissent certains critères de santé, qui surveillent leur pression sanguine ou leur taux de cholestérol ou qui pratiquent une activité physique régulière.

183 ACHETEZ EN LIGNE

Achetez vos lunettes sur Internet. De nombreux sites Internet vous proposent même de les échanger si la monture ne vous plaît pas. Mieux, choisissez vos montures dans un magasin et commandez votre paire de lunettes en ligne, vous économiserez ainsi jusqu'à 90 % du prix. Attention, il vous faudra une prescription de votre ophtalmologue pour pouvoir acheter des lunettes.

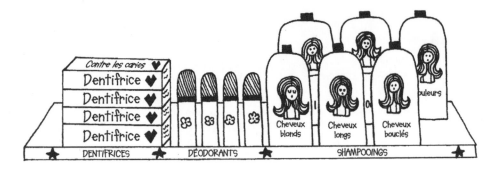

184 FAITES LE VOYAGE

Dans certains pays, les produits essentiels (médicaments sans ordonnance) sont vendus en supermarché et en pharmacie. Comparez les prix. Les médicaments vendus en pharmacie sont souvent moins chers que ceux vendus en supermarchés. Ainsi, même s'il est pratique d'acheter de la solution pour lentilles de contact au supermarché, cela reviendra sans doute moins cher de l'acheter chez un opticien ou dans une pharmacie.

185 SOYEZ MALIN

Aux médicaments de marque, préférez les génériques; ils contiennent la même molécule active et sont beaucoup moins chers. Demandez conseil à votre pharmacien.

186 MIEUX VAUT PRÉVENIR QUE GUÉRIR

Passez un contrat avec vous-même : stabilisez votre poids à un niveau sain, ne fumez pas, buvez avec modération et pratiquez une activité physique régulière. Cela vous évitera de vous retrouver dans des situations qui pourraient vous coûter cher en soins de santé.

187 DEMANDEZ PLUS DE MÉDICAMENTS

Si vous devez suivre un traitement de longue durée, demandez à votre médecin de vous prescrire des médicaments pour le plus longtemps possible. Si vous avez de l'asthme, par exemple, demandez à votre médecin de vous prescrire des inhalateurs pour trois mois plutôt que pour un mois. Vous gagnerez du temps et de l'argent.

188 DEMANDEZ UN CERTIFICAT

De nombreux pays délivrent des certificats de prescription qui permettent aux malades de payer leurs médicaments sur trois mois, voire un an. Si vous vous habitez dans l'un de ces pays et que vous utilisez en moyenne plus de 15 prescriptions par mois, demandez le vôtre.

189 ACHETEZ DANS LES GRANDES SURFACES

Vous ferez des économies en remplaçant vos médicaments de marque par des génériques. Vous ferez encore plus d'économies si vous les achetez dans un magasin grande surface ou sur un site Internet. Si vous achetez en ligne, choisissez des médicaments de marque.

190 NE SOYEZ PAS SUR LA DÉFENSIVE

Si, dans le cadre du système de santé de votre pays, les citoyens paient pour leur couverture maladie, comme c'est le cas aux États-Unis par exemple, évitez à tout prix la « médecine défensive ». Il s'agit de tests et de services, parfois inutiles, visant à protéger le médecin. Renseignez-vous sur la raison pour laquelle ces tests sont pratiqués, demandez s'ils sont vraiment nécessaires et quelles sont vos options.

191 VÉRIFIEZ

Dans certains pays, de nombreuses personnes ont droit à des prescriptions et des médicaments gratuits. Renseignez-vous et vérifiez que vous ne payez pas des biens ou des services qui pourraient être gratuits.

192 COMPTE D'ÉPARGNE DE SANTÉ

Si vous vivez dans un pays où les citoyens paient leurs frais de santé, prévoyez un compte épargne de santé – un compte dont l'argent sera destiné à payer vos soins médicaux. Choisissez un compte bien rémunéré afin de pouvoir économiser beaucoup d'argent pour vos dépenses futures.

193 ET LA VENTE LIBRE ?

Avant d'aller chez le médecin pour obtenir une prescription, assurez-vous que le médicament nécessaire n'est pas en vente libre, cela vous reviendrait moins cher. Demandez conseil à votre pharmacien.

194 NÉGOCIEZ

Dans les pays privés de système de santé public, les médecins et les hôpitaux négocient les prix et adaptent les factures aux besoins des patients. N'hésitez pas à demander.

195 NE VOUS FAITES PAS AVOIR

Soyez prudent si vous cherchez des médicaments bon marché. Les offres que vous recevez dans votre boîte de messagerie électronique ne sont pas de source sûre et les médicaments vendus par ce biais viennent souvent du marché noir, ce qui signifie qu'ils peuvent être dangereux. Ne risquez pas votre vie pour quelques euros.

196 CONVALESCENCE

Si vous vous remettez d'une opération, suivez à la lettre le programme de convalescence prévu par votre médecin pour réduire au maximum la durée de cicatrisation et les effets à long terme de l'opération (et les coûts liés). Une cicatrisation incomplète pourrait entraîner une rechute voire un handicap permanent. Il est temps de faire ce que vous dit votre médecin !

197 SOYEZ ORGANISÉ

De nombreuses personnes éprouvent des difficultés à conserver une copie de leurs prescriptions, de leurs résultats d'analyses et des demandes envoyées à leurs assurances. Organisez vos papiers : il vous sera ainsi plus facile d'affronter votre assurance en cas de conflit et vos rendez-vous médicaux seront plus efficaces.

198 EXAMINEZ-VOUS

En programmant vous-même vos contrôles de routine vous éviterez à l'avenir de longs soins médicaux exorbitants. Préparez un programme de prévention adapté à votre âge. Demandez conseil à votre médecin.

199 FAITES VOS DEVOIRS

Que vous viviez dans un pays doté d'un système de santé public ou non, renseignez-vous sur le contenu de votre couverture maladie afin d'en profiter pleinement. Avant de vous faire soigner, cherchez à connaître vos droits et renseignez-vous sur la personne à solliciter pour obtenir tout ce à quoi vous avez droit.

200 FAITES APPEL

Des experts affirment que, lorsque les clients font appel suite au rejet d'une réclamation, ils gagnent dans 70 % des cas contre leurs compagnies d'assurance. Si votre assureur rejette votre réclamation, ne vous laissez pas faire, faites appel.

201 TESTEZ LE MÉDICAMENT

Avant de commencer un nouveau traitement, demandez à votre médecin de vous donner des échantillons afin que vous testiez le médicament gratuitement pendant quelques semaines. Vous pourrez ainsi vous assurer qu'il fonctionne sur vous. Cela n'est cependant pas possible dans tous les pays.

202 MESUREZ VOS YEUX

Avant d'acheter des lunettes en ligne, vous devez connaître la distance qui sépare vos pupilles, appelée « écart pupillaire », pour que les verres soient centrés. Des sites Internet vous proposent des méthodes pour l'évaluer mais nous vous recommandons de demander à votre ophtalmologue de vous préciser votre écart pupillaire.

203 FAITES ATTENTION À VOS LUNETTES

Lorsque vous commandez des lunettes en ligne, vérifiez que l'entreprise garantit l'échange et/ou le remboursement. Il vaut mieux payer un petit peu plus cher et être sûr de bénéficier de ce service.

204 RESTEZ EN BONNE SANTÉ

La meilleure façon de ne pas avoir trop de frais médicaux est de rester en bonne santé. Les dépenses médicales annuelles des femmes obèses sont supérieures de 70 % à celles des femmes d'un poids moyen.

205 PRENEZ DES VITAMINES

Certains sites Internet offrent des réductions sur les prix des vitamines et des médicaments homéopathiques. De même, certains supermarchés proposent des prix plus bas en ligne. Néanmoins, veillez à n'acheter ce type de produits qu'à des revendeurs autorisés ou à la marque directement et n'achetez que des produits de marque.

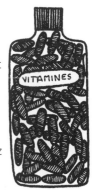

206 RENOUVELEZ VOTRE CONFIANCE

Lorsqu'ils renouvellent leur assurance, environ 60 % des gens choisissent l'offre par défaut de leur compagnie d'assurance ou cochent la case « comme l'année dernière ». Or, cela peut être une grossière erreur. Étudiez les finances de toute la famille et trouvez une solution pour rendre le tout beaucoup moins cher.

Soins dentaires

207 ASSUREZ-VOUS VOUS-MÊME

Si vous n'allez que rarement chez le dentiste, assurez-vous vous-même au lieu de choisir la couverture dentaire dans votre assurance au bureau. Par exemple, au lieu de payer un montant prédéfini au titre de la prise en charge des frais dentaires, placez une petite somme d'argent sur un compte bien rémunéré et utilisez cet argent lorsque vous suivez un traitement dentaire. Si vous n'en suivez aucun, laissez l'argent sur votre compte, il créera encore plus d'intérêts.

208 BROSSEZ-VOUS LES DENTS DEUX FOIS PAR JOUR

Mieux vaut prévenir que guérir. Brossez-vous les dents pendant cinq minutes tous les soirs avant de vous coucher. Il est plus important de bien se laver les dents le soir que le matin car la nourriture qui stagne dans la bouche toute la nuit produit des substances acides qui abîment les dents.

209 CONSULTEZ UN ÉTUDIANT

Si vous craignez de devoir trop payer pour des soins dentaires, demandez à une faculté de chirurgie dentaire proche de chez vous ou à votre dentiste si des étudiants tout juste diplômés proposent des traitements (sous contrôle) à un prix réduit. Il s'agit d'une bonne option lorsque le traitement est simple.

210 DENTS FRAGILES

Si vous êtes sujet aux caries et si vous trouvez que vos dépenses en soins dentaires sont trop élevées, demandez à votre dentiste de vous présenter les nouveaux traitements disponibles pour renforcer vos dents. Les appareils dentaires et le traitement au fluor sont parfois utiles.

211 VOYAGEZ

Si vous avez besoin d'un important traitement dans une clinique privée, il est moins cher d'aller à l'étranger pour vous faire soigner. Les pays de prédilection des personnes qui veulent recevoir des soins dentaires sont le Mexique, le Canada et l'Europe de l'Est. Néanmoins, cette option est risquée : si vous rencontrez le moindre problème vous n'aurez aucune voie de recours. Vous trouverez des guides de « tourisme dentaire » sur Internet.

212 CONSULTEZ VOTRE EMPLOYEUR

Avant de régler vos factures dentaires ou de souscrire à votre propre assurance dentaire privée, assurez-vous que votre assurance au bureau ne prend pas en charge les soins dentaires.

213 UTILISEZ UN FIL DENTAIRE

Il est conseillé d'utiliser un fil dentaire après le brossage des dents car cela permet d'éliminer les 40 % de plaque dentaire que votre brosse à dent n'atteint pas. Adopter une bonne hygiène dentaire vous permettra de réduire vos factures de soins dentaires.

214 FAITES ATTENTION

Plus vous vieillirez, plus votre assurance sera chère. Ainsi, vous devrez faire de plus en plus attention à obtenir la meilleure offre qui soit. Les polices qui comprennent le surplus (vous payez 25 % du traitement jusqu'à une certaine limite) reviennent souvent moins chères que les autres.

215 NE GRIGNOTEZ PAS

Ce n'est pas de la quantité mais de la fréquence de l'ingestion de sucres que viennent les problèmes dentaires. Ainsi, manger beaucoup de bonbons en une seule fois et se rincer la bouche après est meilleur que d'en manger un toutes les demi-heures.

fil dentaire

216 GARE AUX VITRES THERMOS

Les assurances couvrent souvent les soins dentaires, les blessures et les soins d'urgence. À l'inverse, les soins dentaires esthétiques, tels que le blanchiment des dents, la pose de facettes ou les implants, ne sont généralement pas pris en charge.

217 SOYEZ COUVERT

Demandez à votre dentiste, en particulier lorsque vous devez recevoir des soins importants et coûteux, d'étaler le paiement de vos frais sur plusieurs mois. Il s'agit d'un bon moyen d'organiser, voire de réduire les dépenses.

218 RÉVÉLATEURS DE PLAQUE

Les révélateurs de plaque sont de petites pilules qui colorent le tartre qui reste sur vos dents après le brossage pour cerner les zones que vous ne brossez pas assez. Demandez à votre dentiste de vous en donner quelques-unes ou achetez-les, et utilisez-les de temps en temps pour vous assurer que vous n'oubliez pas des zones à risques.

Factures

219 LISEZ LES PETITES LETTRES

N'oubliez pas que l'objectif de votre fournisseur d'énergie est de faire des bénéfices. Ainsi, il est indispensable de bien lire le contrat pour prendre connaissance des pénalités de résiliation du contrat et de la réglementation en matière de tarifs.

220 VOYEZ DOUBLE

Des fenêtres thermos en bon état constituent un bon moyen de réduire votre facture d'électricité. Renseignez-vous sur les offres des magasins de fenêtres.

221 OUVREZ LA FENÊTRE

Les systèmes de climatisation sont gourmands en énergie. N'utilisez le vôtre que si vous en avez vraiment besoin. Ouvrez les portes et les fenêtres pour créer un courant d'air et n'allumez votre appareil de climatisation que dans les pièces où il est indispensable.

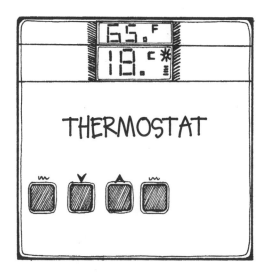

222 FAITES-VOUS REMBOURSER

De nombreuses personnes ont droit
à une remise d'impôts et ne le savent pas.
L'argent appartient donc au contribuable
mais il ne se trouve ni dans sa poche
ni sur son compte bancaire. Demandez
conseil à un spécialiste ou prenez contact
avec l'administration fiscale pour voir
si vous avez droit à une remise d'impôts.
Vous pourrez avoir des bonnes surprises.

223 UTILISEZ UN THERMOSTAT

L'allumage et l'extinction d'une système de
chauffage ou de climatisation consomment
énormément d'énergie. Réglez votre thermostat
sur une température moyenne – 18 °C dans le
meilleur des cas – et n'y touchez plus.

224 CHOISISSEZ LE PRÉLÈVEMENT

Vous économiserez en choisissant l'option
de prélèvement automatique plutôt que
le paiement par chèque ou carte de crédit ;
en effet, de plus en plus de fournisseurs
imposent des frais supplémentaires à ceux
qui n'opteraient pas pour le prélèvement
automatique. Choisissez l'option de paiement
mensuel pour encore plus de tranquillité.

225 NETTOYEZ VOTRE FOUR

Faire cuire des plats dans un four sale est
désagréable, mais c'est surtout inefficace. En
effet, un four fonctionne mieux quand il est
propre. Pour entretenir le vôtre, nettoyez-le
régulièrement. Si vous avez hérité d'un four
sale, faites appel à une entreprise de nettoyage,
cela constituera un bon investissement
en termes d'économie d'énergie.

226 HABILLEZ-VOUS CHAUDEMENT

Au lieu de monter le chauffage dès que la température baisse, habillez-vous plus chaudement lorsque vous êtes chez vous. Habituez-vous à porter un chandail et des chaussettes, vous réduirez ainsi vos factures d'électricité.

227 CONSULTEZ VOTRE COMPTEUR

Familiarisez-vous avec votre compteur d'électricité. Relevez-le une fois par semaine et voyez si une tendance se dégage. Essayez ensuite de mettre en place une stratégie d'économie d'énergie (par exemple éteignez les lumières lorsque vous quittez une pièce) et évaluez son impact. Tâchez de réduire vos dépenses régulièrement.

228 CHERCHEZ SUR INTERNET

Sur Internet, des entreprises spécialisées vous aident à trouver la solution énergétique qui correspond le plus à vos besoins. Demandez conseil à l'une d'entre elles et cherchez les offres exclusives. Vous pourriez économiser jusqu'à 20 % de votre facture en passant par Internet.

229 ISOLEZ VOTRE LOGEMENT

Vérifiez l'isolation de votre logement avant l'hiver, période où les factures d'électricité explosent. Les vieilles maisons sont mal voire pas isolées du tout. Ce défaut représente jusqu'au tiers de vos factures d'électricité.

230 ISOLEZ

Veillez à ce que votre chauffe-eau soit bien isolé, sans quoi vous jetteriez l'argent par les fenêtres.

231 BAISSEZ LE CHAUFFAGE

Saviez-vous qu'en baissant la température des thermostats de votre maison de seulement 1 °C vous réduiriez votre facture d'électricité de 8 % ? Vous ne sentirez sans doute aucune différence, alors pourquoi ne pas essayer ?

232 ÉTEIGNEZ LA LUMIÈRE

Prenez l'habitude d'éteindre les lumières lorsque vous quittez une pièce – nous avons trop tendance à allumer la lumière dans toute la maison. Si cela vous permet de vous sentir mieux, allumez une lumière dans l'entrée pour que la maison ne soit pas plongée dans la pénombre. De façon générale, n'allumez une lampe que si vous en avez vraiment besoin.

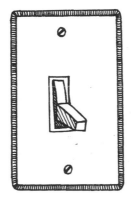

233 PLAIGNEZ-VOUS PAR ÉCRIT

Si vous souhaitez faire une réclamation, évitez de le faire par téléphone quand il s'agit d'un appel interurbain. Écrivez plutôt un courrier ou un courriel dans lequel vous demandez que l'entreprise vous rappelle pour parler du problème.

234 LE PLAISIR DU TISSU

Au lieu de dépenser de l'argent en serviettes en papier, achetez des linges ou guenilles. Ils passeront à la machine à laver et vous pourrez les utiliser indéfiniment.

235 FAITES BOUILLIR LE MINIMUM

Combien de fois avez-vous rempli votre bouilloire à ras bord au lieu de ne mettre que le strict nécessaire ? Sachez qu'en faisant chauffer une bouilloire pleine vous consommez beaucoup plus d'électricité que si vous ne faites bouillir qu'un petit peu d'eau. Et puis quel est l'intérêt de porter toute cette eau à ébullition si vous n'en utilisez qu'une partie ?

236 ÉTEIGNEZ LE FOUR PLUS TÔT

La chaleur emmagasinée par la nourriture pendant qu'elle est dans le four lui permet de cuire plusieurs minutes après l'extinction du four. Profitez-en et éteignez le four quelques minutes avant la fin de la cuisson. Peut-être cela semble-t-il insignifiant mais deux petites minutes par jour représentent beaucoup d'électricité à l'échelle d'une année.

227 ÉCONOMISEZ QUELQUES SOUS

Le simple fait de changer de fournisseur d'énergie peut vous permettre d'économiser de l'argent, en particulier si vous ne l'avez jamais fait avant. Comparez les prix chez tous les fournisseurs d'énergie tous les ans pour vous assurer que vous bénéficiez de la meilleure solution énergétique.

228 RÉDUISEZ VOS IMPÔTS

Nous devons tous payer des impôts locaux. Néanmoins, certains citoyens ont parfois droit à un abattement voire à une exonération totale de ces impôts. Contactez les autorités compétentes pour savoir si vous avez droit à l'un de ces deux avantages.

239 SURVEILLEZ VOTRE COMPTEUR

Surveillez votre compteur pour vérifier que vos factures sont calculées correctement et notez tout changement susceptible de modifier votre consommation d'électricité.

240 ÉTEIGNEZ VOTRE ORDINATEUR

Lorsque vous avez fini de travailler sur votre ordinateur, arrêtez-le plutôt que de le laisser allumé ou en veille. Vous ne vous en servirez pas en dormant alors pourquoi gaspiller votre argent ?

241 GROUPEZ LES SERVICES

Pour réduire vos factures d'énergie, ne faites appel qu'à un seul fournisseur. Trouvez celui qui vous approvisionnera à la fois en gaz et en électricité et trouvez celle de ses offres qui vous correspond le mieux.

242 RÉPAREZ LES JOINTS

Les réfrigérateurs et les congélateurs consomment beaucoup d'énergie et deviennent vite inefficaces. Vérifiez les joints à l'aide d'une feuille de papier – si le papier tombe alors que la porte est fermée, changez vos joints.

Prix de l'eau

243 UTILISEZ MOINS D'EAU

Il existe quelques techniques très simples pour réduire votre consommation d'eau (elles sont également bonnes pour l'environnement). Sachez qu'en prenant un bain, vous dépensez en moyenne 80 litres d'eau ; en prenant une douche, en revanche, vous utilisez près de 30 litres d'eau. Si vous laissez couler l'eau pendant que vous vous brossez les dents, vous gaspillez 10 litres d'eau à chaque brossage, ce qui est supérieur aux 9 litres d'une chasse d'eau.

244 UTILISEZ UN RÉCUPÉRATEUR

Le jardinage est une source de gaspillage d'eau, avec une moyenne de 450 litres par heure. Recueillez l'eau de pluie dans un récupérateur pour ne pas avoir à utiliser de tuyau d'arrosage. Arrosez vos plantes une fois ou deux par semaine au lieu de les arroser quotidiennement.

245 METTEZ UN COMPTEUR D'EAU

Veillez à ce qu'un compteur d'eau soit installé dans votre immeuble. Les fournisseurs d'eau les installent gratuitement en général. Dès que l'appareil sera mis en place, vous ne paierez plus que ce que vous dépenserez.

246 LA CHASSE D'EAU À DOUBLE COMMANDE

Pour dépenser moins d'eau dans votre maison, installez une chasse d'eau à double commande qui vous permet de n'utiliser que la moitié du volume d'eau d'une chasse d'eau classique. Ainsi, si vous tirez la chasse dix fois par jour, vous économisez 45 litres d'eau quotidiennement.

247 REMPLISSEZ

N'utilisez votre machine à laver, votre sécheuse et votre lave-vaisselle que quand ils sont pleins. Ils seront ainsi plus efficaces. De plus, vous réduirez considérablement vos factures.

248 PRENEZ DES DOUCHES

Préférez les douches aux bains. Vous gaspillerez ainsi moitié moins d'eau, en particulier si vous avez une grande baignoire que vous aimez remplir à ras bord.

Conduire

249 NE ROULEZ PAS FLAMBANT NEUF

Les voitures neuves perdent une grande partie de leur valeur dans leurs premières années d'utilisation ; ainsi, au moment où elles sortent de la concession automobile, elles perdent environ 25 % de leur valeur. Si vous prévoyez de vous acheter une voiture, choisissez-en une qui a été utilisée entre 18 mois et deux ans.

250 ALIGNEZ-VOUS

De temps en temps, faites vérifier l'alignement de vos roues. Lorsque les roues sont mal alignées, la pression exercée sur les pneus est inégale. Dans cette situation, il faut changer ses pneus plus souvent.

251 DEUX ROUES MOTRICES SEULEMENT

Les 4 x 4 sont des voitures chères à l'achat et à la pompe. Ainsi, si vous n'en avez pas vraiment besoin, privilégiez une voiture à deux roues motrices. Dans le cas contraire, choisissez un modèle vous permettant d'alterner conduite avec deux et quatre roues motrices, afin de réduire vos dépenses.

252 PRÉFÉREZ LE VIEUX

Dans de nombreux pays, les propriétaires de vieilles voitures bénéficient de réductions d'impôts après un certain temps. Ces voitures sont en outre un bon investissement car elles ne perdent pas leur valeur au cours du temps. Cependant, sachez qu'elles consomment beaucoup ; elles doivent donc être utilisées occasionnellement.

253 TROUVEZ LE BON MÉCANICIEN

À moins que votre voiture ne soit toujours sous garantie (certaines personnes changent de voiture souvent pour que ce soit toujours le cas), il est indispensable de faire appel à un mécanicien honnête. Comparez-en plusieurs et demandez conseil à vos amis.

254 LAVEZ-LA VOUS-MÊME

Évitez d'aller au lave-auto. Lavez votre voiture vous-même, cela vous fera faire un peu d'exercice et, après coup, vous serez satisfait d'avoir économisé. Si vous avez des enfants, faites-les participer, vous passerez un bon après-midi en famille.

255 ET LES PIÈCES DÉTACHÉES ?

Avant d'investir dans une voiture dont le prix semble abordable, renseignez-vous sur les frais de réparation et d'entretien. En effet, les pièces détachées de certaines voitures étrangères sont excessivement chères, ce qui rendra votre achat moins intéressant que vous ne le pensiez.

256 VÉRIFIEZ LA PRESSION DE VOS PNEUS

Les pneus coûtent très cher. Si vous veillez à ce qu'ils soient toujours bien gonflés, vous rallongerez leur durée de vie, dépenserez moins d'argent et sécuriserez votre conduite. Les constructeurs automobiles conseillent différentes pressions en fonction du remplissage de la voiture. Consultez le manuel d'utilisation.

257 RETIREZ VOTRE COFFRE DE TOIT

Saviez-vous qu'avec un coffre de toit votre voiture consomme plus d'essence car elle est moins aérodynamique ? Veillez donc à retirer votre coffre de toit lorsque vous ne l'utilisez pas.

258 NE PAYEZ PAS LES OPTIONS

Si vous voulez acheter une voiture, choisissez le modèle d'exposition : il sera moins cher qu'une voiture neuve, il n'aura parcouru que très peu de kilomètres et comprendra toutes les options d'habitude payantes que vous pourriez vouloir (GPS, vitres teintées…).

259 RÉDUISEZ VOTRE ALLURE

Gardez à l'esprit vous dépenserez moins en réduisant votre allure et en diminuant le nombre de tours par minute de votre moteur. Laissez de la distance entre la voiture qui vous précède et la vôtre pour éviter d'avoir à freiner et accélérer de nouveau.

260 PRÉPAREZ-VOUS POUR L'HIVER

Achetez de l'antigel pendant l'été, c'est la période où il est soldé. Préparez votre voiture pour l'hiver avant l'arrivée du froid : trouvez des pneus à neige à l'avance, faites réviser votre voiture et, si vous avez un 4 x 4, assurez-vous que le système de quatre roues motrices fonctionne correctement (de nombreux conducteurs n'utilisent leur 4 x 4 que l'hiver).

261 DEMANDEZ UN PRIX

Négociez le prix de votre voiture si vous l'achetez chez un concessionnaire ou dans un garage. Allez-y avec un ami si vous avez peur de céder. Essayez toujours de bénéficier du plus grand nombre d'avantages possible ; demandez même un plein d'essence, cela vous permettra déjà d'économiser un peu d'argent.

262 AYEZ DES CÂBLES

Si votre voiture est un peu vieille, vous courez le risque qu'elle ne démarre pas. Gardez toujours des câbles de démarrage dans votre coffre pour relancer votre voiture vous-même sans avoir à appeler un dépanneur, qui vous facturerait le dépannage très cher.

263 RESTEZ LÉGER

Il est toujours tentant de laisser mille et une choses dans le coffre de sa voiture. Néanmoins, gardez à l'esprit le fait que plus votre voiture est lourde, plus vous dépenserez d'essence. Videz votre voiture au maximum.

264 ACHETEZ UNE VOITURE LÉGÈRE

En achetant une voiture légère, vous serez assuré de réduire vos frais liés à la conduite. En effet, une petite voiture coûte moins cher à l'achat et consomme beaucoup moins de carburant qu'une grosse berline. Vous aurez en outre la satisfaction d'avoir fait un geste pour l'environnement.

265 FAITES VOS NIVEAUX

Entretenez votre voiture le plus régulièrement possible : l'entretien est toujours l'option la plus rentable. L'huile et l'eau sont indispensables au bon fonctionnement du moteur de votre voiture, alors pensez à remplir les réservoirs sans attendre que le moteur ne vous le réclame.

266 COMMENT NETTOYER ?

Au lieu d'acheter des produits spéciaux pour
nettoyer votre voiture, utilisez du liquide
vaisselle pour la carrosserie et du vinaigre puis
du savon pour faire briller les chromes. Rincez
bien et polissez le tout avec du papier journal
pour une brillance professionnelle bon marché.

267 PRENEZ LE MOINS CHER

Rien ne prouve
qu'un type
d'essence soit
meilleur qu'un
autre, alors
achetez le
moins cher.

Assurance auto

268 SOYEZ LE SEUL CONDUCTEUR

De façon générale, plus il y a de conducteurs
répertoriés sur une police d'assurance (surtout
s'ils sont jeunes), plus l'assurance coûte cher.
N'enregistrez qu'un seul conducteur pour que
le prix de l'assurance ne soit pas trop élevé.

269 BAISSEZ VOS FRAIS

Il y a de nombreuses façons de réduire
le montant de votre assurance : augmenter
le montant de la franchise, ne pas déclarer
les petits accrocs, se garer là où il y a peu
de circulation, éviter les amendes.

270 SOYEZ PRÉCIS

Soyez aussi précis que possible lorsque vous
déclarez à votre assureur le nombre de
kilomètres que vous parcourez. N'indiquez
pas un kilométrage trop élevé car votre prime
d'assurance serait chère sans raison. Si vous
n'utilisez pas beaucoup votre voiture, votre
assurance ne vous coûtera pas cher, si toutefois
vous respectez la limite fixée.

271 CHANGEZ D'ASSUREUR

Ne restez pas chez un assureur sous prétexte que c'est la solution la plus simple. Comparez et changez si nécessaire, vous économiserez de grosses sommes d'argent. Par ailleurs, sachez qu'il est beaucoup plus intéressant de payer votre assurance en une seule fois plutôt que de réaliser plusieurs paiements, ce qui peut revenir jusqu'à 23 % plus cher.

272 RELEVEZ VOTRE FRANCHISE

Contactez votre assureur et proposez-lui d'augmenter le montant de votre franchise (la somme d'argent qui reste à la charge de l'assuré en cas de sinistre). Réfléchissez au montant que vous pourriez payer de votre poche et proposez cette option en échange d'une baisse de votre prime d'assurance.

273 PROTÉGEZ-VOUS

Si vous êtes assuré depuis longtemps et n'avez pas eu d'accident depuis la signature de votre contrat, vous recevrez sans doute un bonus. Demandez à sécuriser ce bonus : payez une certaine somme pour être assuré de conserver ce bonus même en cas de sinistre.

274 PRIVILÉGIEZ LA SÉCURITÉ

Plus l'endroit où vous garez votre voiture sera sûr, moins votre prime d'assurance sera chère. En effet, pour fixer le montant de votre prime, votre assureur prend en compte le lieu où vous garez votre voiture : garage, place de parking ou rue. De même, certains codes postaux font augmenter le montant de votre assurance. Renseignez-vous avant de signer.

275 COMPAREZ

À l'achat d'une nouvelle voiture, il est tentant d'opter pour la solution rapide, c'est-à-dire de reprendre un contrat avec le même assureur ou, si c'est votre première voiture, avec le premier que vous appelez. Communiquez avec plusieurs compagnies pour vous assurer de souscrire une assurance automobile au meilleur rapport qualité-prix.

276 LAISSEZ VOTRE VOITURE TELLE QUELLE

Pour éviter d'avoir à payer votre assurance plus cher, laissez votre voiture telle quelle. Toute modification, même s'il ne s'agit que de l'ajout de peinture sur la carrosserie, pourrait faire augmenter le prix de votre assurance.

Dépensez moins au supermarché

277 ALLEZ-Y SEUL

Pour moins dépenser au supermarché, allez-y sans vos enfants s'ils sont en bas âge car ils risqueraient de vous déconcentrer. En effet, lorsqu'un enfant fait un caprice, on a tendance à sortir vite du magasin et à attraper des produits inutiles dans la précipitation.

278 PENSEZ LOCAL

Sachez que tous les produits ne sont pas moins chers au supermarché. Certes, pour acheter en gros, il est plus intéressant d'aller dans une grande surface. Mais les produits frais sont souvent moins chers ailleurs. Comparez.

279 ACHETEZ AU FUR ET À MESURE

La nourriture étant périssable, achetez au fur et à mesure. En dehors de quelques aliments de base, veillez à ne pas avoir de stocks, les produits seraient périmés avant d'être consommés.

280 BAISSEZ-VOUS

Les supermarchés placent souvent les marques les plus chères à une hauteur comprise entre les genoux et les épaules, les produits phares étant à hauteur de poitrine. Ainsi, vous prenez instinctivement les produits les plus chers. Regardez le rayonnage de votre supermarché et baissez-vous pour atteindre les produits les moins chers.

281 ACHETEZ EN GROS

Acheter en gros (si vous êtes sûr de tout consommer bien entendu) est une excellente façon de réduire le montant de vos courses ; de plus, vous réduirez ainsi la quantité d'emballages, ce qui représente un petit geste pour l'environnement. Achetez en gros des produits tels que les couches pour bébé, le jus de fruit, le papier toilette et les bouteilles d'eau.

282 SOYEZ MALIN

Faites la liste de tous les plats préparés que vous achetez régulièrement (sauces, légumes en boîte, pots de bébé…) et trouvez une solution pour les payer moins cher. Les marques de supermarché peuvent être plus économiques mais aussi moins bonnes. Testez-les et trouvez le produit qui vous convient.

283 PARTAGEZ

Pour dépenser moins, achetez en gros et partagez les frais avec un ami, un voisin ou un membre de votre famille. Faites la liste des produits qui vous reviendraient moins cher en gros et achetez en commun.

284 FAITES UN PLAN

Avant d'aller au supermarché, dessinez un plan du magasin. Puis, lorsque vous faites votre liste de courses, suivez le plan. Vous passerez ainsi moins de temps au supermarché et vous laisserez tenter par moins de produits inutiles.

285 MANGEZ AVANT

N'allez jamais faire vos courses quand vous êtes fatigué ou quand vous avez faim, vous risqueriez d'acheter des produits dont vous n'avez pas besoin. Prenez un en-cas avant d'y aller et faites vos courses en milieu de matinée, vous aurez moins faim.

286 PENSEZ AUX POMMES DE TERRE

La pomme de terre est un aliment de base bon et économique, en particulier si vous achetez un grand sac. Même si vous ne finissez pas les dernières avant qu'elles ne périssent, vous ferez des économies. Renseignez-vous auprès des agriculteurs locaux, les grands sacs qu'ils proposent sont souvent moins chers que ceux qui sont vendus au supermarché.

287 AYEZ UNE LISTE « ALIMENTS DE BASE »

Faites une liste des aliments de base
– épices, thon et haricots en boîte, farine,
sucre, mayonnaise et moutarde – en plus
de votre liste de courses. Si votre supermarché
propose des offres spéciales sur l'un
des produits de cette liste, autorisez-vous
à l'acheter même s'il n'est pas sur votre
liste de la semaine.

288 PARIEZ SUR UN BOUCHER

Si vous voulez manger de la bonne viande
et dépenser moins, votre boucher pourrait
devenir votre meilleur ami. En effet, il saura
vous conseiller sur la meilleure façon
de cuisiner et conserver ses pièces de viande,
sans compter que ses produits sont parfois
moins chers que ceux vendus au supermarché.

289 AYEZ UNE CALCULATRICE SUR VOUS

Si votre téléphone portable ne comprend
pas l'option calculatrice et si vous n'êtes pas
un spécialiste du calcul mental, emportez
une calculatrice au supermarché. Par exemple,
il est moins cher d'acheter de grosses boîtes
de conserve, sauf lorsqu'il y a une offre
sur les petites. Calculez.

290 UNE FOIS PAR SEMAINE

En allant moins au supermarché, vous risquerez
moins d'acheter des choses dont vous n'avez
pas besoin. Ne faites vos courses qu'une fois
par semaine, vous aurez ainsi du temps pour
comparer les prix (consultez le prix à l'unité
indiqué en rayon pour bien comparer) et pour
dénicher les offres à ne pas manquer.

291 ACHETEZ EN LIGNE

Pour dépenser moins, faites vos courses
en ligne. Vous serez ainsi moins tenté par
les offres alléchantes vers lesquelles
les supermarchés savent parfaitement vous
attirer. De plus, la cuisine n'est pas loin
au cas où vous ne sauriez plus si vous avez
besoin de tel ou tel produit.

282 ALLEZ-Y EN FIN DE JOURNÉE

Il est intéressant de faire ses courses peu avant la fermeture du magasin. Allez au rayon frais pour voir les offres de fin de journée. Vous y trouverez des réductions intéressantes sur la viande, en particulier sur les produits dont la date de péremption est proche.

283 TROUVEZ UN ÉQUILIBRE

Pour faire des économies sur ses dépenses de nourriture, n'envisagez pas de tout changer du jour au lendemain : préparez-vous plutôt à faire des expériences pendant quelques mois pour trouver le bon équilibre.

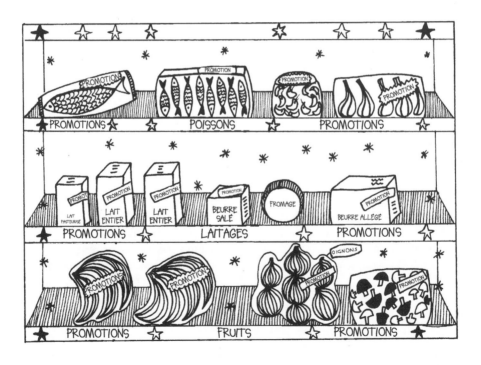

294 CHANGEZ DE MAGASIN

N'hésitez pas à essayer régulièrement de nouveaux supermarchés. Vous découvrirez sans doute que certains produits sont moins chers dans d'autres magasins que celui auquel vous allez d'habitude. Essayez d'alterner pour acheter chaque produit là où il est le moins cher.

295 RÉCOMPENSEZ VOTRE LISTE

Si vous utilisez une liste pour la première fois, vous vous sentez sûrement limité et ennuyé. En attendant de vous y habituer, souvenez-vous de la raison pour laquelle vous faites une liste. Lorsque vous rentrez chez vous après vos courses, écrivez tout ce que vous auriez acheté si vous ne vous étiez pas limité à votre liste et calculez le montant que vous venez d'économiser !

296 FAITES VOS COURSES LE LUNDI

Le lundi est LE jour pour faire ses courses lorsque l'on essaye de réduire ses dépenses car c'est le jour où il y a le plus d'offres spéciales. Renseignez-vous sur les jours de réduction des supermarchés auxquels vous allez et prenez cela en compte.

Cuisinez comme un cordon-bleu

297 REVOYEZ VOS EXIGENCES À LA BAISSE

Pour économiser de l'argent, achetez des marques moins chères. Demandez-vous quels sont les produits sur lesquels vous êtes prêt à faire des concessions – peut-être êtes-vous prêt à revoir vos exigences à la baisse pour le papier toilette mais pas pour le jus de fruit ou les céréales du petit-déjeuner.

298 VALORISEZ LA VIANDE

Lorsque vous achetez de la viande, cuisinez-la de façon à en profiter pleinement. Les plats à base de pâtes ou de riz et de viande sont très nourrissants et permettent de n'utiliser que peu de viande sans pour autant en perdre la saveur. Les plats asiatiques, tels que les sautés, permettent aussi de valoriser la viande et de ne pas trop dépenser lorsque l'on souhaite manger sainement.

299 CUISINEZ

Il revient plus cher d'acheter des plats préparés que de cuisiner soi-même. Si vous avez l'habitude d'acheter des plats cuisinés, essayez de les réserver à un ou deux repas par semaine.

300 CONGELEZ

Si vous n'êtes pas sûr de consommer vos restes dans les jours à venir, parce que vous avez d'autres aliments à cuisiner par exemple, mettez-les au congélateur plutôt qu'au réfrigérateur, ils resteront mangeables pendant des mois. Si vous mangez beaucoup de pain, congelez du pain tranché et ne décongelez qu'une tranche à la fois ; au grille-pain, cela ne prend que quelques minutes.

301 CUISINEZ ET CONSERVEZ

Donnez-vous comme règle de cuisiner une fois pour manger deux fois, en préparant une quantité de nourriture qui représentera deux repas. Par exemple, cuisinez deux fois plus de sauce pour les pâtes, pour ne plus avoir, le soir suivant, qu'à faire cuire des pâtes.

302 SAUVEZ VOTRE PAIN

Si votre baguette a séché, plongez-la dans de l'eau froide puis mettez-la au four quelques minutes jusqu'à ce que la croûte soit croustillante et la mie molle. Néanmoins, n'allumez pas votre four juste pour faire cela ; utilisez-le s'il est déjà allumé pour cuire un autre plat, sans quoi vous ne feriez pas d'économies !

303 VIDEZ VOTRE GARDE-MANGER

Une fois de temps en temps – deux fois par an par exemple – videz votre garde-manger. Ce mois-là, achetez le moins de produits possible et essayez d'utiliser toute la nourriture que vous avez dans votre réfrigérateur et dans vos placards. Prévoyez de faire cela à une période où vous n'avez pas trop de soucis car vous devrez être plus créatif que d'habitude.

304 RENVERSEZ VOS BOUTEILLES

Lorsque vos bouteilles de sauce et de condiments sont presque vides, renversez-les sur le bouchon pendant la nuit pour que toute la sauce descende – vous pourrez ainsi consommer la sauce qui reste. Pour le fond, ajoutez une goutte de vinaigre.

305 CALCULEZ VOS ÉCONOMIES

Ne sous-estimez pas ce que vos petits efforts hebdomadaires vous permettent d'économiser. Calculez, pour un seul produit, les économies que vous réalisez en achetant un produit d'une marque moins chère. Mesurez alors le montant total sur une année. Si vous arrivez à faire ce genre d'économies sur tous vos produits de base, vous dépenserez au total beaucoup moins d'argent.

306 FAITES DU PÂTÉ

Si vous avez des restes de viande ou de poisson, passez-les au mixeur pour en faire du pâté. Ajoutez un peu de beurre et de crème, saupoudrez d'herbes. Servez sur des tartines.

307 GRANDES QUANTITÉS

Cuisinez des plats faciles à réaliser en grande quantité et congelez-en une partie pour d'autres repas. Vous pouvez faire des soupes par exemple : elles sont variées, nourrissantes et elles ne coûtent pas cher. Congelez une soupe simple à laquelle vous ajouterez des ingrédients en la décongelant.

308 FAITES DE JUS

Au lieu de préparer vos jus de fruit à base de fruits frais, pourquoi ne pas utiliser des fruits surgelés : ils sont beaucoup moins chers et ne s'abîment pas. Vous pouvez aussi congeler des fruits de saison pour les utiliser plus tard. Disposez-les sur un plateau puis, lorsqu'ils sont congelés, placez-les dans un sac pour éviter qu'ils ne s'attachent au plateau.

309 VIDEZ LE RÉFRIGÉRATEUR

Prévoyez de vider le réfrigérateur toutes les semaines et mangez alors tout ce que vous devriez jeter si vous ne le consommiez pas rapidement. Vous gâcherez moins de nourriture et devrez être plus créatif !

310 UTILISEZ LE PAIN RASSIS

Ne jetez pas le pain rassis, car il est très utile pour préparer des boulettes de viandes, des hamburgers, des pains de viande, de la chapelure ou encore des recettes végétariennes. Si vous ne pensez pas consommer immédiatement la recette que vous aurez choisie, congelez le plat dans un sac de congélation.

311 GLACES FAITES MAISON

Au lieu de jeter les fonds de bouteille de vos boissons sans alcool, versez le reste dans des plats de plastique pour fabriquer de la glace. Ne vous inquiétez pas si vous n'arrivez pas à remplir complètement les récipients ; ajoutez simplement une couche dès que vous avez de nouveaux restes, vous obtiendrez de la glace stratifiée.

312 FAITES DES CONDIMENTS

Les condiments en saumure tels que les cornichons coûtent cher, mais ils sont très faciles à réaliser chez soi. Choisissez des fruits et légumes de saison et plongez-les dans de la saumure. Faites-en autant que vous pouvez en une seule fois pour que ce soit vraiment rentable. Vous en aurez ainsi toute l'année et pourrez peut-être même en offrir.

313 ACHETEZ LE THÉ EN BOÎTE

Le thé en boîte est moins cher que le thé en sachet, essayez donc de le privilégier. Achetez une boule à thé et mettez-la dans votre théière pour filtrer les feuilles ; cela sera aussi facile à utiliser qu'un sachet de thé.

314 ÉCONOMISEZ VOTRE CHOCOLAT

Ne lavez pas la casserole immédiatement après avoir fait chauffer du chocolat. Laissez le chocolat refroidir puis râpez-le. Utilisez les lamelles ainsi créées pour décorer des gâteaux et autres desserts ; vous n'aurez plus besoin de copeaux ou de pépites.

315 FAITES VOTRE PROPRE MÜESLI

Au lieu d'acheter du müesli « de luxe » au supermarché, pourquoi ne pas acheter les ingrédients séparément pour les mélanger dans une grande boîte ? Il reviendra moins cher d'acheter les ingrédients en gros ; sans compter que vous pourrez faire la recette que vous aimez vraiment.

316 AROMATISEZ VOTRE SUCRE

Si vous cuisinez beaucoup, préparez votre sucre vanillé vous-même. Achetez une gousse de vanille et mettez-la dans votre boîte à sucre : elle parfumera le sucre. Lorsque votre boîte est vide, vous pouvez la remplir à nouveau en laissant la même gousse.

317 GLISSEZ QUELQUES CAROTTES

Lorsque vous préparez un plat avec de la viande hachée, ajoutez une ou deux carottes râpées pour allonger le plat. Le repas sera plus rentable et plus équilibré. Si vous ajoutez les carottes en même temps que la viande, elles en prendront la saveur et vous ne sentirez presque plus le goût des légumes ; il s'agit d'un bon moyen d'économiser.

318 GARDEZ LA GRAISSE

Lorsque vous rôtissez du poulet ou du bœuf, transférez la graisse dans un petit plat de plastique et mettez-la au réfrigérateur. La graisse peut ainsi être conservée plusieurs semaines et faire office de condiment.

319 ACHETEZ UNE MACHINE À PAIN

Si vous mangez beaucoup de pain, investissez dans une machine à pain pour réduire vos dépenses tout en améliorant votre régime. En effet, les ingrédients vendus séparément sont moins chers et le résultat est toujours meilleur que le pain industriel.

320 PENSEZ AUX PÂTES

Si vous avez un budget limité et devez nourrir une famille entière, pensez aux pâtes. C'est un aliment nourrissant et énergétique à partir duquel on peut réaliser de nombreuses recettes.

321 UTILISEZ DE LA POUDRE

Il n'est pas nécessaire d'utiliser du lait frais pour préparer des sauces ou des gâteaux. En effet, le lait frais peut tout à fait être remplacé par du lait en poudre, moins cher.

322 UTILISEZ DU RIZ

Le riz est l'un des aliments les plus utilisés. Il peut être servi en plat principal, en accompagnement, voire en dessert. Faites toujours une dose de plus que ce qui est recommandé et préparez du riz au lait pour le dessert du lendemain, un risotto en ajoutant du bouillon ou du riz sauté avec des restes de légumes. Le riz se conserve un à deux jours au réfrigérateur mais ne doit pas être réchauffé plus d'une fois.

323 CUISINEZ DES HARICOTS

Si vous faites attention à vos dépenses, mangez des haricots : ils sont riches en protéines et sont extrêmement polyvalents. Utilisez-les pour rallonger vos sauces, en accompagnement, voire en salade avec une bonne sauce.

324 STOCKEZ

Si vous aimez les plats préparés (pour emporter au travail par exemple), évitez de les acheter toutes les semaines. Attendez qu'ils fassent l'objet de réductions et conservez-les au congélateur.

325 LE SAVOIR-FAIRE DES NOUILLES

Les nouilles sont bon marché et faciles à utiliser pour rallonger un plat. Utilisez-les pour transformer une soupe en plat ou pour donner du volume à une salade ou à un sauté.

326 FAITES UNE SOUPE DE RESTES

De temps en temps, faites une soupe avec tous les restes de votre réfrigérateur ou de votre congélateur. Commencez par faire frire un oignon, ajoutez les restes et du bouillon, et laissez cuire un certain temps, puis mixez. Dégustez ou stockez.

Restes délicieux

327 N'ABANDONNEZ PAS VOS BANANES

Ne jetez pas vos bananes trop mûres : elles peuvent servir à fabriquer des gâteaux. Si vous n'avez pas le temps de cuisiner, faites un milk-shake ou une purée, que vous congelez pour faire une bonne crème glacée.

328 EMPORTEZ

Si vous avez organisé un lunch au travail, et s'il reste des sandwichs, des fruits ou des gâteaux, emballez-les et emportez-les chez vous ou conservez-les pour le déjeuner du lendemain.

329 PRÉPAREZ DES CROQUETTES

Si vous avez des restes d'un rôti, mettez-les dans votre mixeur, ajoutez de la chapelure et du bouillon, et faites des croquettes. Faites-les frire avec du beurre ou de l'huile d'olive ; faites fondre du fromage dessus et servez avec de la salade pour un excellent repas léger.

330 CONGELEZ VOTRE PURÉE

Congelez votre purée dans de petits sacs de congélation. Vous pourrez ensuite l'utiliser pour donner du volume à des plats en lieu et place de la farine. Remplacez deux mesures de farine par une mesure de purée dans toutes les recettes que vous voulez, que ce soit une soupe, un ragoût, du pain fait maison…

331 CUISINEZ UN CHILI RAPIDE

Si vous avez des restes de steak ou de rôti de bœuf, faites un chili rapide : coupez la viande en petits morceaux, ajoutez des haricots rouges, de la poudre de piment, des tomates émincées et du concentré de tomate. Faites bouillir puis laissez mijoter pendant environ 1 heure. Servez avec du riz ou des pommes de terre au four.

332 QUE FAIRE DU JAMBON ?

En raison de son goût si spécifique, le jambon
permet de faire de très bons plats avec des
restes. Vous pouvez par exemple préparer
une tarte ou de la soupe, ou encore le servir
en tranches tout simplement avec des œufs
pochés pour un bon lunch.

333 ACHETEZ UN MIXEUR

Le mixeur est l'un des appareils de cuisine
les plus importants quand on fait attention
à ses dépenses. Il permet de faire des milk-
shakes, des soupes, de la pâte, de la purée
et de moudre des épices. Avec un mixeur,
vous pourrez transformer tous vos restes
en plats exquis.

334 PLANIFIEZ

Habituez-vous à utiliser vos restes au lieu
de les jeter. D'ailleurs, arrêtez de les appeler
« restes » ; dites plutôt : « prochain repas » !
Affichez une liste sur le réfrigérateur
qui indique tout ce qui s'y trouve.
Complétez votre liste à chaque fois que
vous ajoutez quelque chose dans le
réfrigérateur.

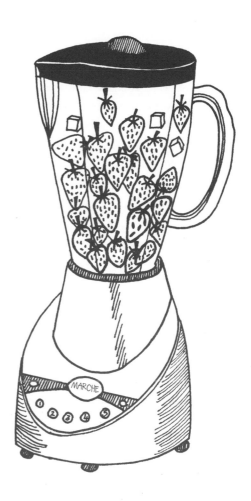

335 FAITES-EN TOUJOURS PLUS

Lorsque vous préparez un dîner, faites toujours une portion supplémentaire pour votre lunch du lendemain. Cela reviendra moins cher que si vous achetiez votre dîner et sera beaucoup plus simple et reposant.

336 AYEZ UN TIROIR DE PRODUITS GRATUITS

Réservez un tiroir pour mettre tous les échantillons gratuits que vous avez reçus. Sachets de sel, de poivre et de sauce récupérés dans des restaurants ; thé, café, chocolat, confiture, miel, sucre, pailles et serviettes en papier pris dans les chambres d'hôtel… Ces produits vous seront très utiles pour vos pique-niques.

337 FAITES DES GLAÇONS AU VIN

Congelez les restes de vin dans des bacs à glaçons et conservez-les dans un sac de congélation lorsqu'ils sont durs. Utilisez-les ensuite lorsque vous cuisinez : mettez-en quelques-uns dans votre sauce pour lui donner un goût inimitable.

338 ÉCRIVEZ LA DATE

Veillez à écrire la date d'ouverture sur les restes que vous placez au réfrigérateur ou au congélateur. Vous serez ainsi sûr de les utiliser à temps pour éviter qu'ils ne soient périmés.

339 ÉPICEZ

Lorsque vous avez des restes, pensez à les utiliser comme des ingrédients pour de nouvelles recettes au lieu de simplement les réchauffer. Pour ce faire, ajoutez des fines herbes et des épices : faites une délicieuse sauce pour des pâtes avec vos restes de viande ou de poisson et de tomates en saupoudrant de basilic et d'origan.

340 PROFITEZ DES POSSIBILITÉS DU POULET

Le poulet est l'un des aliments les plus polyvalents. Avec les restes d'un poulet rôti, vous pouvez faire une salade, des nouilles, des pâtés ou de la sauce. Enfin, utilisez la carcasse pour faire un bouillon, en ajoutant des carottes, du céleri, un oignon, du laurier et un bouquet garni; couvrez et laissez mijoter quelques heures. Ce bouillon vous servira pour une soupe, un ragoût ou un risotto.

341 CUISINEZ DES SPAGHETTIS

Pour préparer facilement et rapidement un plat avec des restes de pâtes à la sauce, mettez les restes dans un plat allant au four, ajoutez des rondelles de courgettes et d'aubergines, râpez du fromage et faites cuire. Votre plat pour le lunch suivant sera prêt.

342 QUE FAIRE DE LA VIANDE HACHÉE ?

Faites des économies en achetant autant de viande hachée que vous pouvez en une seule fois et en préparant plusieurs plats : pain de viande, sauce bolognaise, tarte, chili con carne, hamburger et boulettes de viande, entre autres.

343 VOS RESTES DE LÉGUMES

Avec vos restes de légumes, préparez un lunch complet. Ajoutez simplement vos restes dans la préparation d'une omelette avec du fromage râpé. Votre repas sera prêt en seulement quelques minutes. Vous pouvez aussi faire de petits pains de légumes (ou faire cuire les feuilletés surgelés que vous avez achetés quand ils étaient soldés) ou faire une pâté végétarien.

344 UN BON DESSERT

N'imaginez pas qu'on ne peut faire que des plats salés avec des restes ; on peut en effet également faire d'excellents desserts. Faites des gâteaux avec du coulis ou des restes de fruits, ou encore des puddings avec du pain rassis…

345 FAITES SIMPLE

La sainte trinité des restes est composée des carottes, du céleri et des oignons. Avec ces trois ingrédients, vous ferez un ragoût avec n'importe quoi. Ajoutez des légumes récemment sautés pour rafraîchir et attendrir les restes de viande.

346 UTILISEZ DES ŒUFS

Des œufs vous permettront de transformer tous vos restes. En effet, ils sont l'ingrédient de base des omelettes et des quiches et ils peuvent vous servir à lier des ingrédients lorsque vous préparez des hamburgers ou des pâtés par exemple.

347 NE JETEZ PAS LA PEAU

Lorsque vous pelez des pommes de terre, ne jetez pas la peau. Disposez-en une couche sur une plaque, arrosez d'huile, salez, poivrez et ajoutez des épices. Faites cuire au four à 200 °C jusqu'à ce que les lamelles soient croustillantes. Voici des chips pas chères !

Secrets de conservation

348 GARDEZ LE PAIN AU FRAIS

Les boîtes à pain permettent de prolonger la fraîcheur du pain et d'autres aliments tels que les biscuits et les gâteaux.

349 STOCKEZ BIEN

Si vous faites pousser vos fruits vous-même, comme des pommes ou des poires, vous les conserverez plusieurs mois en vous y prenant bien : enroulez-les dans un mouchoir ou dans du papier journal et stockez-les dans un lieu frais, sombre et ventilé. Ne stockez pas de fruits gâtés sans quoi ils pourriraient et abîmeraient les autres fruits. Contrôlez régulièrement vos fruits stockés et jetez ceux qui ne sont pas en bon état.

350 UTILISEZ UN PANIER À FRUITS

Gardez vos fruits dans un panier à fruits loin du four, des radiateurs et à l'abri de la lumière du soleil. Si vous le pouvez, conservez les bananes dans un panier séparé car elles accélèrent la maturation des autres fruits.

351 LE SAC DES FRUITS

Gardez le sac plastique dans lequel vous placez vos fruits et légumes frais au supermarché et réutilisez-le, pour mettre un sandwich par exemple. Vous n'aurez plus à acheter de sac pour mettre votre casse-croûte et vous ferez un petit geste pour l'environnement.

352 ACHETEZ DES OIGNONS ÉMINCÉS

Si vous n'avez pas le temps de cuire des produits frais, achetez des oignons émincés surgelés. Sortez-les du congélateur et mettez-les directement dans une poêle. Ils sont certes plus chers que les oignons crus, mais il revient moins cher de procéder ainsi que d'acheter des plats cuisinés.

353 CHAQUE CHOSE À SA PLACE

Essayez d'attribuer un placard (ou une étagère) à chaque catégorie d'aliment. Ainsi, il vous sera beaucoup plus facile de trouver vos aliments et vous risquerez moins d'oublier certains produits, ce qui vous évitera de gâcher.

354 CONGELEZ VOTRE LAIT

Si vous trouvez que vous avez trop de lait dans le réfrigérateur (avant de partir en vacances par exemple), congelez les packs non ouverts pour éviter que le lait qu'ils contiennent ne s'abîme. Lorsque vous en avez besoin, replacez les packs dans le réfrigérateur jusqu'à ce que le lait soit décongelé.

355 LAVEZ LA SALADE

Lorsque vous achetez une salade, ne la placez pas directement au réfrigérateur : déchirez les feuilles à la main et mettez-les dans un bol d'eau froide ; une autre option consiste à les laver à l'eau glacée et les envelopper d'un torchon propre et sec. Vous serez alors sûr de la garder fraîche et croquante longtemps.

356 FAITES DE PETITES PORTIONS

Acheter en gros est une bonne façon de remplir son congélateur. Par exemple, si vous avez acheté un poulet car il était soldé, mettez-en des portions dans des sacs de congélation et décongelez quand vous en avez besoin.

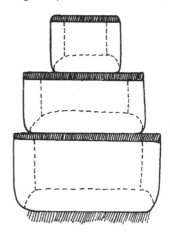

357 UTILISEZ DES PLATS DE PLASTIQUE

Conservez le riz et les pâtes dans de grands Plats de plastique transparents. Vous verrez en un clin d'œil ce qu'il y a dans chaque boîte et vos produits resteront frais longtemps. Cela est particulièrement important si vous achetez beaucoup de produits en gros.

358 L'ALUMINIUM POUR LE FROMAGE

Conservez le fromage dans du papier d'aluminium plutôt que dans un sac plastique. Ainsi, le fromage restera à l'abri de l'air et ne « transpirera » pas. Réutilisez le papier aluminium autant de fois que possible.

359 METTEZ VOTRE FARINE DANS UN SAC

Faites cette petite manipulation pour prolonger la durée de conservation de la farine que vous venez d'acheter. Mettez le sachet de farine dans un sac plastique et congelez pendant 24 heures. Le froid tue les mites de cuisine et les insectes tandis que le sac plastique maintient la farine au sec. Conservez dans un placard en laissant le sac plastique étanche.

360 LAISSEZ LA QUEUE

Si vous n'utilisez qu'une partie d'un poivron, laissez la queue, les graines et la peau intactes et reposez le légume dans le réfrigérateur. Votre poivron se conservera plus longtemps.

361 PENSEZ AU FRAIS

Baissez la température de votre réfrigérateur entre 1 °C et 5 °C afin de conserver vos aliments plus longtemps. Les produits qui s'abîment le plus vite (qui sont aussi souvent les plus chers) se conservent au réfrigérateur, donc faites attention aux dates de péremption. Utilisez à la fois votre réfrigérateur et votre congélateur pour garder vos aliments plus longtemps.

362 UTILISEZ UN CONGÉLATEUR

Le congélateur est l'un des meilleurs achats à faire lorsque l'on souhaite réduire ses dépenses de nourriture. En avoir un vous permettra de stocker les aliments que vous aurez achetés en bénéficiant d'offres spéciales et de conserver les restes de vos repas.

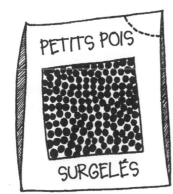

363 TRÈS MALIN

La sauce pesto pour les pâtes est très utile. Néanmoins, elle ne se conserve que quelques semaines une fois la boîte ouverte ; il est donc fréquent de devoir en jeter la moitié. Au lieu de gâcher toute cette sauce, répartissez le contenu de la boîte dans plusieurs sacs de congélation que vous mettrez au congélateur. Décongelez le contenu d'un sac dès que vous en avez besoin.

364 EMBALLEZ VOS LÉGUMES

Pour conserver vos salades et vos légumes frais plus longtemps, enveloppez-les de papier absorbant puis mettez-les dans des sacs plastiques dans le bas du réfrigérateur. Le papier empêche l'apparition de moisissures et de condensation, qui ramollit les légumes.

Le menu

365 CHOISISSEZ LA LENTEUR

Une mijoteuse est un bon investissement car cet appareil permet de faire cuire très lentement la nourriture. Vous pourrez acheter de la viande un peu moins chère sans que cela ne soit gênant car la lenteur de la cuisson attendrit la viande. Cette méthode de cuisson vous sera très utile si vous travaillez ou si vous êtes très occupé car vous pouvez préparer le repas le matin ; en rentrant le soir, vous trouverez votre plat prêt.

366 FAITES UN MENU HEBDOMADAIRE

De nombreux ménages s'aperçoivent peu à peu qu'ils entrent dans une routine alimentaire. Le menu ressemble par exemple à : dimanche – rôti ; lundi – poisson ; mardi – restes de rôti ; mercredi – pâtes ; jeudi – ragoût ; vendredi – divers (pizzas faites maison, fast-food…) ; samedi – sauté ou nouilles. Établissez un menu, cela vous permettra d'évaluer votre budget et d'économiser.

367 ÉQUILIBREZ

Ne pensez pas que vous parviendrez à établir un menu directement – quand il s'agit de créer un menu, il est nécessaire de s'armer de patience. Commencez par imaginer un menu pour la semaine à partir de ce que vous avez dans vos armoires. Quand votre menu sera plus au point, vous serez impressionné par les économies que vous réaliserez en n'achetant que ce dont vous avez besoin.

368 DÎNER DIVERS

Incluez de la flexibilité à votre menu en prévoyant un dîner « divers » dans la semaine. Essayez d'organiser ce menu la veille du jour où vous faites vos courses. En effet, lors de ce dîner, vous utiliserez tous vos restes et devrez insuffler de la créativité à votre cuisine.

369 OFFRE SPÉCIALE DU CHEF

Lorsque vous faites vos courses, repérez les produits qui font l'objet d'une offre spéciale et essayez d'imaginer un menu en utilisant ces aliments. Vous ne pourrez pas faire cela toutes les semaines mais c'est une excellente façon de vous entraîner à réaliser des menus.

370 CONSULTEZ VOTRE AGENDA

Lorsque vous créez un menu, prenez en compte les emplois du temps de la famille. Par exemple, si une seule personne dîne à la maison, elle peut se faire une omelette ou une salade avec des restes ; prévoyez aussi un repas spécial si vous avez des invités. De même, il est inutile d'acheter du pain pour faire un sandwich si vos enfants restent à la maison toute la journée ou si vous êtes en voyage d'affaires.

371 FAITES UN MENU

Élaborer un menu est la première chose à faire lorsque l'on cherche à réduire ses dépenses. Prévoyez de ne pas aller au supermarché tant que vous n'avez pas prévu un menu pour la semaine. Faites en sorte de vous y tenir !

372 FAITES UNE LISTE

Faites une liste familiale sur laquelle vous indiquez tous les produits que vous achetez régulièrement. Laissez un espace en bas de la liste pour permettre à chacun d'ajouter des produits ou de laisser des notes. Chaque membre de la famille doit écrire ce dont il a besoin d'une part et ce qu'il veut d'autre part.

373 GARDEZ LE « TESTÉ ET APPROUVÉ »

Si vous aimez cuisiner, vous trouvez amusant de tester de nouvelles recettes. Néanmoins, gardez-vous de le faire trop souvent car cela pourrait sabrer votre budget. Limitez-vous aux plats que vous savez cuisiner et ne préparez de nouveaux plats qu'une fois de temps en temps. Essayez de prévoir un menu sur deux semaines pour cuisiner 14 plats différents afin de ne pas vous lasser.

374 LA FLEXIBILITÉ EST LA CLÉ

Un bon menu doit être flexible. Par exemple, si vous avez prévu de cuisiner du porc ou du rôti de bœuf et qu'en allant chez le boucher vous voyez qu'il y a une offre spéciale sur le poulet, changez de viande, tout en restant sur votre idée pour le reste du menu.

375 PRÉVOYEZ LES EN-CAS

Si vous avez des enfants, et surtout s'ils font du sport, il est important de prévoir des collations consistantes pour être sûr qu'ils ne videront pas le réfrigérateur en rentrant. Les en-cas les moins chers sont ceux à base de pommes de terre, de pâtes, de pain ou d'œufs.

376 RECYCLEZ LE MENU

N'hésitez pas à recycler vos menus !
Vous y gagnerez en temps et en énergie.
De plus, mieux vous connaîtrez votre menu,
mieux vous saurez adapter les quantités
pour gâcher le moins possible.

377 RÉUTILISEZ VOS MENUS

Une fois que vos menus sont prêts, gardez-les
dans un tiroir et réutilisez-les. Par exemple,
si vous aviez établi un menu lorsque le bœuf
faisait l'objet d'offres spéciales il y a quelques
semaines et que c'est à nouveau le cas, réutilisez
simplement le menu de la semaine en question.

De simples économies

378 ACHETEZ EN MÉTAL

Il peut se révéler intéressant d'acheter des
poêles en métal car, même si elles coûtent
un peu plus cher que les poêles en téflon,
elles durent plus longtemps.

378 PENSEZ AU FROMAGE RÂPÉ

Pour réduire la quantité de fromage que vous
utilisez dans vos sandwichs ou dans vos salades,
râpez-le au lieu de le trancher ou d'en faire
des cubes. Ainsi, vous économiserez de l'argent
et mangerez plus sainement.

380 OPTEZ POUR LE POISSON À L'HUILE

Le poisson gras doit faire partie d'un régime
équilibré. Il présente aussi l'avantage d'être
bon marché. Le maquereau et la sardine sont
parmi les poissons les moins chers et ils sont
également bons pour la santé, alors foncez !

381 CHOISISSEZ DU FROMAGE FORT

Le fromage est souvent cher. Dès que vous le pouvez, n'en utilisez qu'une petite quantité. Par exemple, pour la préparation de vos sauces, vous pouvez diviser la quantité de fromage par deux en utilisant un fromage plus fort, tel que du parmesan. De plus, si vous mettez moins de fromage, vos plats seront moins gras et donc meilleurs pour la santé.

382 ACHETEZ UNE POÊLE À FOND ÉPAIS

Investissez dans une poêle résistante et à fond épais. Ce type de poêle dure plusieurs années, ce qui vous évitera d'avoir à en changer trop souvent. De plus, la cuisson sera parfaite et la nourriture ne collera pas au fond ; votre nourriture ne brûlera plus et vous gâcherez donc moins.

383 PENSEZ AUX LÉGUMINEUSES

Allongez vos ragoûts, plats et sauces avec des légumes voire des légumineuses, qui sont moins chers. Les lentilles et les pois chiches, par exemple, sont utiles car ils contiennent des protéines et sont bon marché. Vos repas seront encore meilleurs.

384 ACHETEZ DU LAIT DEMI-ÉCRÉMÉ

Le lait demi-écrémé est moins cher et meilleur pour la santé que le lait entier. Il contient moins de graisses et permet au corps de mieux absorber le calcium. Toutefois, il est conseillé de ne pas donner de lait demi-écrémé aux enfants de moins de deux ans.

385 UTILISEZ MOINS DE MATIÈRES GRASSES

Les matières grasses et l'huile coûtent cher, donc veillez à les utiliser avec modération. Essayez de diviser par deux la quantité que vous utilisez habituellement et d'en ajouter que si cela est nécessaire.

386 ACHETEZ DE L'HUILE BON MARCHÉ

Pour cuisiner, il n'est pas nécessaire d'utiliser des matières grasses chères telles que le beurre ou l'huile d'olive. Réservez ces dernières pour donner de la saveur à certains plats et cuisinez avec de l'huile bon marché comme de l'huile de colza ou l'huile de tournesol. Si vous le pouvez, cuisinez avec des poêles antiadhésives pour éviter de mettre trop de matières grasses. Investissez dans une bonne poêle, elle vous servira de nombreuses années.

387 ACHETEZ DES PRODUITS DE SAISON

Les fruits et légumes de saison sont toujours moins chers que les fruits et légumes importés. Pour économiser, essayez de prévoir vos menus selon la saison. De plus, les fruits et légumes de saison sont meilleurs pour la santé car ils sont pleins de vitamines et de minéraux.

388 AYEZ DE BONS COUTEAUX

Vous n'avez besoin que de deux couteaux dans votre cuisine (un petit et un grand) s'ils sont de bonne qualité. Investissez dans deux bons couteaux au lieu d'en acheter plusieurs de piètre qualité. Aiguisez-les et lavez-les à la main, ils tiendront des années.

Mangez bio pour moins cher

389 ADHÉREZ À UN CLUB

Il est intéressant d'adhérer à un club si l'on souhaite manger bio. S'il n'en existe pas près de chez vous, créez en un. Plus il y aura de membres, moins les produits seront chers.

390 RENSEIGNEZ-VOUS

Renseignez-vous pour savoir où acheter des produits bios bon marché. Demandez dans les magasins de votre quartier, ou appelez les associations de consommateurs pour trouver les prix les plus intéressants.

391 ACHETEZ AU PRODUCTEUR

Demandez autour de vous s'il existe des programmes de soutien aux producteurs. Il est souvent possible d'acheter des paniers, en les payant à l'avance. La nourriture achetée ainsi est meilleure au goût et pour le portefeuille.

392 ACHETEZ EN GROS

Pour avoir des produits bios bon marché, investissez dans un panier que l'on achète chez un producteur local ou par le biais de groupements de producteurs bios. Pour en profiter pleinement, achetez le plus de produits possible et partagez-les avec vos voisins ou vos amis. Préparez-vous cependant à être créatif aux fourneaux car vous ne connaîtrez pas toujours les produits à l'avance.

393 ALLEZ AU MARCHÉ

Il est souvent très intéressant d'acheter ses produits frais au marché. En effet, les produits y sont souvent moins chers car il n'y a pas d'intermédiaires. Repérez les offres de saison et demandez un prix si vous achetez de grandes quantités. Allez au marché peu avant la fin et proposez aux maraîchers d'acheter leurs invendus à un prix réduit.

394 FAITES POUSSER

Pour obtenir des produits bios bon marché, faites-les pousser vous-même. Vous n'avez pas besoin de beaucoup d'espace. Les fruits d'été, tels que les fraises ou les tomates, ainsi que les plantes aromatiques, peuvent être cultivés dans de petits pots. En faisant pousser vos fruits et légumes vous-même, vous serez sûr d'avoir des produits très frais.

Réutiliser
et recycler

395 PRENEZ LE BONNET DE DOUCHE

La prochaine fois que vous dormez à l'hôtel,
prenez le bonnet de douche s'il est fourni :
il sera parfait pour emballer vos chaussures
dans la valise – plus besoin d'acheter des
housses de chaussures.

396 PRENEZ UN THÉ

Ne jetez plus vos sachets de thé usagés ou
le thé resté dans la théière, mais utilisez-le
comme engrais pour vos plantes. Ces dernières
ne tarderont pas à verdir et à prospérer.

397 ENROULEZ SERRÉ

Les vieux collants sont très pratiques pour
conserver les bulbes de fleurs et d'oignons
dans le garage. Ces derniers seront ainsi
protégés de l'humidité, qui pourrait les faire
pourrir. Vous pouvez aussi rouler en boule vos
vieux collants pour en bourrer des coussins
ou des oreillers qui ont perdu leur moelleux.

398 LAVEZ ET RÉUTILISEZ

Plutôt que de jeter les sacs en plastique avec fermeture à pression ou les sachets avec zip, rincez-les et réutilisez-les. Ceux qui ont des pattes sont souvent faits de différents types de plastique et donc rarement recyclés. Ils peuvent servir pour les aliments, mais aussi pour les jouets, par exemple les lego ou les feutres, ou encore pour stocker les câbles et accessoires qui accompagnent les appareils électriques. Ou alors percez un des coins et vous obtiendrez une poche à douille parfaite pour décorer les gâteaux.

399 GARDEZ VOS CHAUSSETTES

Si vous avez un chien, ne dépensez pas pour des jouets qu'il ne fera que casser aussitôt. Mettez une vieille balle de tennis dans une longue chaussette que vous nouerez pour maintenir la balle en place. Ce sont des heures de jeu assurées pour votre compagnon à quatre pattes ! De même, ne jetez pas les serviettes usées mais servez-vous en pour sécher le chien après une promenade sous la pluie et pour garnir les coins où il dort, voire les sièges de la voiture.

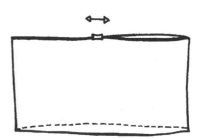

400 RECHARGEZ

Pour réduire les déchets et les coûts, achetez des recharges de nettoyants ménagers écologiques – vous économiserez l'emballage qui accompagne normalement ces produits.

401 AIMEZ LES POTS

Ne jetez pas les pots munis d'un couvercle à vis. Ils sont parfaits pour conserver biscottes, petits gâteaux ou autres aliments secs. Vous pouvez aussi les utiliser pour ne plus perdre et mélanger les vis, les boulons, etc.

402 NE JETEZ PLUS LE PLASTIQUE JETABLE

Ne jetez pas les couverts en plastique. Les couteaux, les fourchettes et les cuillères à café, seront très utiles pour les prochains pique-niques ou les prochaines fêtes, et vous éviterez ainsi de devoir en acheter.

403 RÉUTILISEZ LES SACS

Si vous revenez du supermarché avec des sacs en plastique, ne les jetez pas après avoir rangé vos achats, mais réutilisez-les la prochaine fois que vous irez faire des courses ou faites-en des sacs poubelles.

404 REMBOURREZ

Utilisez les vieux tissus pour en faire des coussins. Il suffit de deux carrés de tissu de la même taille et de quoi rembourrer les coussins (on trouve des garnitures bon marché, mais on peut aussi utiliser de vieux habits ou des chiffons). Posez les deux carrés de tissu face contre face à l'envers et cousez trois côtés. Retournez le coussin à l'endroit, rembourrez-le et cousez un ourlet sur le dernier côté – rien de plus simple.

405 DÉCOUPER LES BOUTEILLES

Réutilisez les bouteilles en plastique transparent une fois que vous les avez vidées : coupez le haut de la bouteille et retournez-la sur les plantes fragiles et les semis. Vous pourrez ainsi les protéger lors des grands froids.

406 GARDEZ LES CONTENANTS

Les contenants de margarine vides sont idéaux pour congeler les restes de repas en portions individuelles ou doubles : lavez-les, séchez-les et conservez-les pour la prochaine fois que vous aurez à congeler une quantité suffisante de sauce ou d'autres restes.

407 EMBALLEZ

Gardez tous les matériaux d'emballage que vous trouvez, comme le plastique-bulles. Vous les utiliserez pour envoyer des cadeaux ou des objets que vous vendez sur Internet – vos ventes seront moins intéressantes si vous devez acheter de quoi les emballer.

Nettoyer

408 FROTTEZ LES TRACES DE DOIGTS

Frottez les traces de doigts avec un morceau de pain pour les effacer. Pour de meilleurs résultats, prenez du pain mou et blanc – ne le mangez pas ensuite !

409 DIMINUEZ LES QUANTITÉS

Essayez de couper en deux les pastilles pour le lave-vaisselle ou la laveuse et voyez si le résultat est bon. De même, contentez-vous de peu de produit pour nettoyer le four : les quantités indiquées étant fixées par les fabricants, elles sont souvent supérieures aux besoins réels, cela vaut donc la peine d'essayer soi-même.

410 INVESTISSEZ DANS LA SOUDE

Le bicarbonate de soude fait un désodorisant et un détachant très efficace. Utilisez-le pour nettoyer votre réfrigérateur et votre four à micro-ondes, pour faire disparaître les mauvaises odeurs des armoires ou encore pour détartrer les théières et les tasses.

411 BROSSEZ

Gardez vos vieilles brosses à dents pour nettoyer ou faire briller les chaussures. Vous pourrez ainsi frotter les endroits difficiles à atteindre. Les soies usagées étant souples, elles ne rayeront pas les matériaux fragiles. Pensez aussi à utiliser vos vieilles brosses à dents pour nettoyer les joints des carrelages.

412 POLISSEZ AU JUS

Préparez votre propre mélange pour faire briller les meubles avec de l'huile d'olive et une goutte de jus de citron. Utilisez cette solution bon marché pour effacer les ronds laissés par les tasses et les verres sur les tables en bois ou pour faire briller le cuir et le bois.

413 COUPEZ EN DEUX

Les matériaux nettoyants – papier absorbant, serviettes, chiffons à poussière, éponges, etc. – sont coûteux. Essayez de les couper en deux pour économiser. Faites de même avec les lingettes démaquillantes.

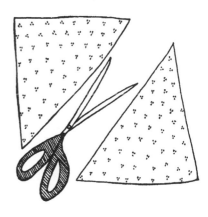

414 ENLEVEZ VOS CHAUSSURES

Les moquettes s'usent plus vite si tout le monde marche dessus avec ses chaussures. Décrétez que tous ceux qui entrent chez vous doivent enlever leurs chaussures à l'entrée et, si nécessaire, placez une étagère à chaussure à côté de la porte.

415 VALORISEZ LE VINAIGRE

Renoncez aux produits anti-moisissures trop onéreux. Frottez simplement les armoires avec un tissu imbibé de vinaigre : l'humidité reviendra moins facilement. Pour nettoyer les fenêtres, utilisez également du vinaigre et du papier journal froissé. Vous obtiendrez un résultat professionnel à peu de frais. De même, remplacez le nettoyant pour les toilettes par du vinaigre blanc : frottez, laissez agir quelques minutes et rincez soigneusement.

416 ÉCONOMISEZ LA POUDRE

Ayez toujours sous la main de la poudre à lessive bon marché pour nettoyer la cuisine. Vous pourrez la faire bouillir dans vos casseroles brûlées pour les ravoir. La poudre à lessive est aussi efficace pour dégraisser et détacher.

417 LAVEZ AU COCA-COLA

S'il vous reste du coca-cola après une fête ou un repas, versez-en un peu dans les toilettes et dans le lavabo, et laissez agir toute la nuit : vos toilettes brilleront de tous leurs feux.

418 TREMPEZ LES CHAUSSETTES

Au lieu de jeter vos chaussettes lorsqu'elles commencent à sentir trop fort ou de les noyer dans de la lessive, mettez-les à tremper dans cinq parts d'eau et une part de vinaigre, cela éliminera les odeurs et la saleté en un rien de temps.

419 DILUEZ

Nous savons tous que les détaillants diluent leurs produits pour les faire durer plus longtemps, mais saviez-vous que vous pouvez en faire autant pour réaliser encore plus d'économies ? Le liquide à vaisselle, le shampooing, le lait, l'extrait de levure et beaucoup d'autres produits peuvent être dilués sans que cela n'altère leur goût ou leur efficacité.

420 OUVREZ LA FENÊTRE

Les désodorisants coûtent cher, sans compter que la plupart ne « rafraîchissent » pas réellement. Alors pourquoi ne pas vous en passer et ouvrir une fenêtre à la place ? Rien ne vaut l'air frais pour rafraîchir l'atmosphère, et en plus il ne coûte rien !

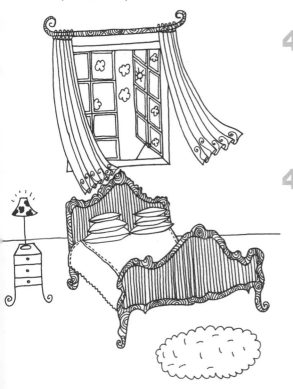

421 NETTOYEZ SANS VOUS RUINER

Les produits nettoyants représentent certainement une part importante de votre budget. Pourtant, il n'est pas toujours nécessaire de dépenser des fortunes pour nettoyer votre maison. Vous pouvez presque tout faire avec du vinaigre, du bicarbonate de soude et du liquide à vaisselle.

422 NE VENTILEZ PAS

Au lieu d'allumer un ventilateur ou une hotte, qui dépensent beaucoup d'électricité, vous pouvez vous débarrasser des odeurs de cuisine en posant simplement une soucoupe de vinaigre à côté de la cuisinière : le vinaigre absorbe les odeurs et laisse la cuisine fraîche.

423 PENSEZ À LA MICROFIBRE

Pour faire la poussière, essayez un chiffon en microfibre au lieu de vous ruiner en cire. Vous ne gagnerez pas seulement l'argent du produit lui-même, mais aussi du temps car la microfibre attire la poussière comme un aimant au lieu de simplement la répandre dans la pièce. On trouve souvent ces chiffons dans les supermarchés et les grandes surfaces.

424 DÉTARTREZ LA BOUILLOIRE

Vous n'avez pas besoin d'acheter de produit pour détartrer votre bouilloire. Faites bouillir un mélange d'eau et de vinaigre, et laissez-le agir toute la nuit. Vous pouvez aussi utiliser ce mélange pour nettoyer le carrelage de la salle de bains et les bouteilles thermos, ou vous en servir comme assouplissant, produit à nettoyer les vitres et désodorisant.

425 COMPTEZ SUR LE SAVON

Ne sous-estimez pas l'effet de l'eau chaude savonneuse. Faites chauffer l'eau le plus possible, ajoutez-y du liquide vaisselle et faites tremper les objets à nettoyer dans le mélange obtenu une demi-heure avant de les frotter. Les résultats sont éblouissants.

426 DÉBOUCHEZ

Avant de faire venir un plombier pour déboucher votre évier, essayez de le faire vous-même. Mettez dans l'évier une poignée de bicarbonate de soude et une tasse de vinaigre, attendez deux heures environ et versez 2 litres d'eau bouillante pour voir si le bouchon s'est dissous.

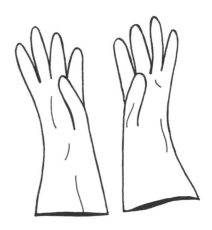

427 DÉCOUPEZ LES GANTS

Ne jetez pas les gants de vaisselle usagés. Utilisez les extrémités pour en faire des doigtiers.

428 PRENEZ SOIN DU FER

Les fers à repasser ont une durée de vie moyenne de plusieurs années, mais celle-ci peut être prolongée si vous y veillez. Pour cela, prenez en soin, frottez du savon sur la semelle chaude du fer et essuyez-le une fois qu'il a refroidi, sans oublier de le détartrer régulièrement à l'aide d'un bâtonnet cireux conçu à cet effet.

429 ÔTEZ LES TACHES

Les taches de sang ou autres taches sombres sur des draps blancs peuvent être blanchies avec une pâte faite de poudre et de décolorant. Frottez pour bien faire pénétrer, puis laissez sécher et aspirez : la tache doit avoir disparu.

430 NETTOYEZ VOTRE FOUR

Profitez que votre four soit encore tiède pour le frotter avec un chiffon imbibé de vinaigre. Cela le nettoiera et préviendra les mauvaises odeurs. Si le four est vraiment encrassé, faites-y chauffer un plat d'eau bouillante additionnée de jus de citron pendant quelques heures. Éteignez le four et, dès qu'il est tiède, frottez-le avec le reste de l'eau que vous aurez mélangé à du vinaigre et à du bicarbonate de soude.

Améliorer son chez-soi

431 DOUBLEZ

Tendez une feuille de plastique sur la fenêtre pour réduire les frais de chauffage. Vous pouvez également encadrer une plaque de verre avec du bois et poser le tout sur la fenêtre pour faire un panneau supplémentaire.

432 RAFRAÎCHISSEZ LE CARRELAGE

Au lieu de remplacer les carreaux de la salle de bains, rafraîchissez-les à peu de frais avec de la peinture pour carrelage.

433 BOUCHEZ LES TROUS

Au lieu de changer les fenêtres, ce qui représente souvent une dépense importante, évitez les courants d'air en hiver en bouchant les interstices avec de la pellicule plastique. Cette solution est (presque) invisible et parfaitement étanche.

434 RAFRAÎCHISSEZ VOTRE INTÉRIEUR

Passez en revue tous les endroits qui pourraient être rafraîchis. Cela ne coûte pas grand-chose de changer une ampoule, effacer les taches de la moquette ou huiler une porte qui grince, mais cela vous aidera à vous sentir mieux chez vous.

435 CONSERVEZ LES PINCEAUX

Pour éviter que vos pinceaux ne sèchent entre deux couches de peinture, enveloppez-les de la pellicule plastique. Faites de même avec les rouleaux. Vous outils peuvent rester ainsi pendant 24 heures, mais pensez à bien les laver une fois la dernière couche finie, ou alors ils resteront inutilisables.

436 ACHETEZ PLUS DE PAPIER

Si vous choisissez votre papier peint dans une fin de série, pensez à en acheter plus que nécessaire : si vous devez plus tard retapisser une partie de mur qui a été abîmée ou tachée d'humidité, ou si vous faites des travaux à cet endroit, mieux vaut être sûr de pouvoir l'assortir au reste plutôt que de devoir refaire l'ensemble.

437 AYEZ CONFIANCE

Pour les travaux de la maison, ne vous chargez que de ce que vous êtes sûr de pouvoir faire vous-même : payer quelqu'un pour refaire un travail raté revient toujours plus cher que de le faire faire dès le départ.

438 REMPLISSEZ LA BOÎTE À TOUT FAIRE

Pour les réparations et les petits travaux d'entretien de la maison, investissez dans l'achat d'une caisse à outil de façon à centraliser votre matériel de bricolage. Cela vous évitera d'acheter certaines choses en double. En outre, il est avantageux d'acheter en gros.

439 EMPRUNTEZ VOS OUTILS

Au lieu d'amasser tout un arsenal d'outils électriques que vous n'utilisez qu'une fois par an, pourquoi ne pas les emprunter aux voisins ? Vous pouvez aussi coordonner les achats entre voisins pour mettre des ressources en commun et prévenir toute dépense inutile.

440 TRAVAILLEZ RAPIDEMENT

S'attaquer avant qu'il ne soit trop tard aux petits travaux de la maison, comme les robinets qui gouttent ou la peinture qui s'écaille, est un bon moyen de faire des économies. Vous pouvez facilement résoudre les petits problèmes, mais si vous les laissez s'aggraver jusqu'à la crise, vous risquez beaucoup plus de devoir appeler (et payer) un professionnel.

441 RÉCUPÉREZ LES VIEUX POTS

Faites preuve de créativité : tout le monde ne souhaite pas forcément peindre sa chambre en rouge vif, mais vous pouvez mélanger cette couleur avec un échantillon de jaune et un vieux pot de blanc que vous aviez gardé pour obtenir un orange clair en accord avec le papier peint de l'entrée. Faites un premier essai pour voir l'effet une fois que la peinture est sèche avant de peindre tout un mur ou une pièce entière.

442 HUILEZ LES GONDS

Le meilleur moyen d'éviter les frais de réparation des portes, des fenêtres et des meubles est de les entretenir. Utilisez de l'huile pour traiter les gonds et les charnières, et de la cire pour les tiroirs.

443 POUDREZ LES CRAQUEMENTS

Au lieu de faire venir un artisan dès que vos escaliers ou que votre parquet commencent à craquer, essayez une astuce qui ne vous coûtera presque rien : saupoudrez les fentes de talc pour voir si cela suffit à résoudre le problème.

444 ADOPTEZ LA RÈGLE DE UN

Il n'est pas nécessaire de dépenser beaucoup pour repeindre une pièce ou la rafraîchir. Changer uniquement la couleur d'un mur peut faire revivre l'ensemble à moindres frais.

Appareils électriques

445 ADRESSEZ-VOUS AU FABRICANT

Appelez le service après-vente en cas de problème avec un appareil, même si celui-ci n'est plus sous garantie. Votre interlocuteur pourra peut-être vous aider à résoudre votre problème, à trouver les pièces de rechange, etc.

446 CHERCHEZ UNE SOLUTION EN LIGNE

Avant de faire appel à un professionnel, cherchez sur Internet si d'autres ont vécu le même problème que vous et la solution qu'ils ont adoptée. Vous trouverez peut-être des idées pour résoudre vous-même le problème, ainsi que des conseils pour savoir si cela vaut la peine de réparer ou s'il vaut mieux abandonner et remplacer l'appareil.

447 PROGRAMMEZ

Si vous payez moins cher l'électricité pendant la nuit, programmez vos appareils pour qu'ils consomment pendant ce temps. S'ils ne sont pas programmables, vous pouvez acheter des minuteurs.

448 NETTOYEZ LES SERPENTINS

Nettoyez l'arrière de votre réfrigérateur, ce dernier fonctionnera efficacement plus longtemps et vous fera consommer moins d'énergie. Les réfrigérateurs consomment beaucoup de courant, veiller par conséquent à ce que les portes restent étanches pour éviter de gaspiller inutilement de l'énergie.

449 SUSPENDEZ

Les sécheuses sont très gourmandes en énergie, alors qu'accrocher le linge à un fil ne coûte rien. Vous pouvez aussi accrocher des cintres et des chevilles en bois sous un faux plafond pour y faire sécher le linge.

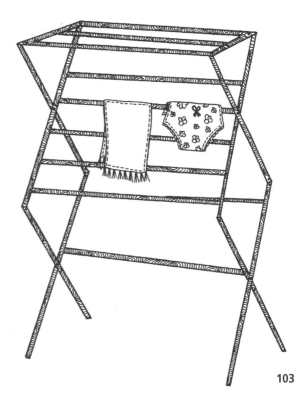

450 LISEZ LES INSTRUCTIONS

Avant d'appeler un spécialiste pour réparer un appareil, pensez à lire le mode d'emploi. Celui-ci fait souvent mention des problèmes les plus courants et des solutions à adopter. Conservez tous les modes d'emplois au même endroit pour les retrouver plus facilement.

451 VEILLEZ À L'HORIZONTALITÉ

Les appareils fonctionnent le mieux sur une surface plane. Vérifiez leur horizontalité avec un niveau, calez les pieds si nécessaire et veillez à leur permettre de fonctionner avec une efficacité maximale.

452 REMPLISSEZ ET VIDEZ

Les appareils électriques (lave-vaisselle, laveuse, sécheuse, aspirateur, etc.) fonctionnent toujours mieux s'ils restent « vides » et « pleins ». Le conseil peut sembler contradictoire mais cela signifie simplement qu'il faut les remplir de produits tels qu'agents de rinçage, vider les sacs ou les compartiments, et laver les filtres, et ce le plus régulièrement possible.

453 REMPLISSEZ LE CONGÉLATEUR

Un congélateur plein est plus économique car les aliments une fois congelés deviennent eux-mêmes source de froid. Veillez à bien organiser le rangement de votre congélateur, vous passerez moins de temps à chercher les produits et ouvrirez donc la porte moins longtemps.

454 RACLEZ LES ASSIETTES

Votre lave-vaisselle aura du mal à fonctionner parfaitement si vous ne rincez pas la vaisselle avant de l'y mettre. Obstruer les conduits et les filtres avec des restes d'aliments rendra son fonctionnement plus laborieux, donc plus coûteux, et vous n'obtiendrez pas une propreté éblouissante.

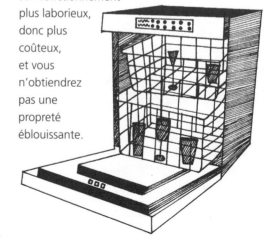

455 MUNISSEZ-VOUS D'UNE ENSACHEUSE

Une machine à sceller les sacs est très économique car elle permet de conserver les aliments à l'abri de l'air, et donc plus longtemps. Vous ne tarderez pas à vous demander comment vous avez pu faire sans.

Meubles et tissus d'ameublement

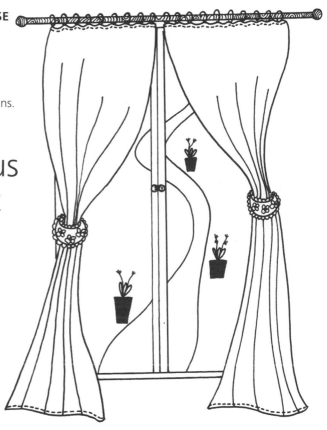

456 HABILLEZ LES FENÊTRES

Les rideaux peuvent revenir très cher, c'est donc une bonne idée de chercher à les obtenir à moindre coût. Le mieux est de confectionner soi-même rideaux et embrasses décoratives dans du tissu acheté dans un magasin-entrepôt ou sur Internet, mais on peut aussi écumer les ventes des associations caritatives pour y trouver des rideaux qui seront adaptés aux dimensions de vos fenêtres.

457 CONCENTREZ-VOUS SUR UN POINT

Le meilleur moyen de donner du style
à une pièce sans trop dépenser consiste
à se concentrer sur un point précis autour
duquel organiser l'ensemble. Créez un style
avec vos objets préférez et dénichez les
éléments de décorations au rabais qui
pourront s'harmoniser avec. Emmenez
des photos ou des échantillons dans
vos chasses aux bonnes affaires pour
être sûr d'acheter des articles assortis.

458 ARRANGEZ ET DISPOSEZ

Si vous ne pouvez pas vous offrir
de tapis, vous pouvez en fabriquer
un avec des échantillons de moquette
obtenus gratuitement, dans un grand
magasin. Assemblez les échantillons
et fixez-les les uns aux autres par-
dessous à l'aide de ruban adhésif.
Vous pouvez aussi faire un tapis
de chiffons en assemblant
au crochet de longues bandes
de tissu puis en les cousant
en spirale.

459 CRÉEZ

Au lieu d'acheter des œuvres d'art au prix
fort, créez vos propres œuvres avec des
cadres bon marché et des restes de papier
peint. Réalisez un patchwork avec ces restes
et encadrez-le. Vous obtiendrez une œuvre
d'art qui vous correspond à peu de frais.

460 OFFREZ-VOUS LE LUXE AUX ENCHÈRES

Les ventes aux enchères vous permettront de trouver des meubles de qualité à bas prix. Sachez toutefois que les objets doivent généralement être emmenés dès qu'ils ont été achetés, donc mieux vaut être sûr d'avoir la place avant de faire une offre.

461 AGRAFEZ

Refaire le rembourrage de sièges ne revient pas forcément cher, une agrafeuse d'artisan et du tissu bon marché suffisent. Recouvrez le coussin ou le dossier du siège et agrafez le tissu. Recouvrez ensuite les coutures d'une garniture décorative ou de ruban.

462 RAFRAÎCHISSEZ

Le mobilier d'occasion permet de se meubler à bon prix, à condition de ne pas hésiter à en changer l'apparence. Repeignez les meubles ou changez-en les poignées, créez un ensemble au pochoir ou poncez. Vous obtiendrez ainsi à un style plus moderne, plus pittoresque ou plus enfantin, assorti à la décoration de l'ensemble de la pièce, et ce pour une somme réellement dérisoire.

463 TÉLÉPHONEZ

Si vous ne pouvez vous rendre en personne à une vente aux enchères, vous avez la possibilité de faire des affaires par téléphone ou de placer vos enchères sans être présent. Il suffit de fixer votre montant maximal et un employé enchérira à votre place.

464 PRENEZ VOTRE TEMPS

Les meilleurs endroits où faire des trouvailles abordables sont les ventes-débarras, les marchés et les ventes aux enchères. On y trouve souvent des objets de qualité à un tarif qui convient à toutes les bourses, mais soyez persévérant car il faut souvent fouiller longtemps pour trouver la perle rare.

465 CONCENTREZ-VOUS SUR LES MURS

Le papier peint coûte cher mais vous n'êtes pas obligé de tapisser toute la pièce, vous pouvez vous contenter d'un seul mur ou du manteau de la cheminée. Vous pouvez aussi ne coller qu'un seul lé de papier peint sur l'un des murs, et en renforcer l'effet en accrochant des tableaux sur le reste du mur ou, au contraire, seulement sur la partie tapissée.

466 AJOUTEZ LA TOUCHE FINALE

Les finitions valent leur pesant d'or lorsqu'il s'agit d'économiser. Des solutions simples et artisanales comme des coussins, des glands ajoutés aux canapés ou aux couvre-lits et des bougies parfumées peuvent contribuer à faire paraître une pièce mieux finie.

Travaux de construction

467 GARDEZ LES VIEILLERIES

Si vous avez fait faire des travaux, ne laissez pas l'entrepreneur repartir avec le carrelage et les autres matériaux de construction. Demandez-lui de les laisser et vendez-les ou entendez-vous pour partager le prix qu'il en tirera.

468 CHOISISSEZ L'ARMÉE

Pour trouver des outils, pensez à fouiller dans un magasin de surplus militaire. Les anciens outils militaires sont souvent d'excellente qualité et très bon marché.

469 AJUSTEZ

Une clé à molette est un achat extrêmement économique car elle permet de serrer de nombreuses tailles de boulons différentes. Veiller à l'utiliser correctement et, si vous serrez des boulons peu solides, à en protéger la tête avec du tissu souple.

470 CONSTRUISEZ AVEC DIY

Pratiquez le DIY (ou *Do It Yourself* qui signifie en anglais « Faites-le par vous-même »). Vous pourrez ainsi accroître la valeur de votre maison en aménageant les combles, un patio, un garage, un abri de jardin ou une véranda. De nombreux fabricants de kits DIY proposent une assistance en ligne et des conseils d'installation par téléphone.

471 PARTAGEZ LE TRAVAIL

Lorsque vous faites faire des travaux, économisez en réalisant vous-même tout ce qui est à votre portée : creuser des fondations, enlever des meubles ou retirer des bardeaux du toit par exemple.

472 SOYEZ PRÉVOYANT

Lorsque vous faites faire des travaux de construction, pensez à ajouter 10 à 15 % au budget global pour parer à toute éventualité. Vous resterez ainsi solvable si les travaux dépassent le budget et cela vous évitera d'avoir recours à l'emprunt, ce qui reviendrait encore plus cher.

473 FOUILLEZ

Tous les matériaux utilisés par l'entreprise qui s'occupe de vos travaux n'ont pas besoin d'être neufs. Faites le tour des chantiers de rénovation (ou demandez à l'entrepreneur de le faire si vous lui faites confiance) à la recherche de tuiles, briques et pierres récupérées, qui sont souvent moins chères que les neuves et auront certainement plus de cachet.

474 FAITES RÉPÉTER TROIS FOIS

Avant de faire faire des travaux de construction, demandez toujours au moins trois avis et, si possible, faites appel à des entreprises citées par des amis ou voisins. Ne choisissez pas automatiquement le moins cher, mais plutôt le meilleur et celui qui fera du travail solide.

475 ANTICIPEZ

L'anticipation est la clé de tout travail de construction. Réfléchissez à ce que vous voulez vraiment, à vos priorités et aux limites de votre budget. Gardez le tout en tête pendant les travaux et discutez avec les ouvriers pour vous assurer qu'ils savent ce que vous voulez et ce que vous attendez d'eux.

476 PLANIFIEZ

Demandez à l'entrepreneur une confirmation écrite des dates de début et de fin des travaux et assurez-vous qu'il a bien compris que vous en ferez dépendre le paiement. Certains accepteront un rabais s'ils dépassent les délais. Une autre option consiste à fixer les dates de paiement en fonction du travail accompli.

477 NE PAYEZ PAS TROP VITE

Quelle que soit la confiance que vous avez en votre entrepreneur, il est prudent d'attendre quelques semaines avant de verser la dernière partie (2 à 5 %) du paiement final. Assurez-vous de vérifier soigneusement que le travail est bien fini – veillez notamment à repérer carreaux manquants, écaillures, rayures et autres détails – avant de faire le dernier versement.

478 NE NÉGLIGEZ PAS L'ASSURANCE

Si vous construisez vous-même votre maison, pensez à vous assurer contre le vol, le vandalisme et les accidents – vous risquez sinon d'être surpris par les factures médicales en cas d'accident ou de vol sur le chantier.

Acheter et vendre

478 FAITES PREUVE D'IMAGINATION

Lorsque vous visitez une maison que vous voulez acheter, imaginez l'effet qu'y feront vos meubles. Visualisez-vous allongé sur votre canapé, en train de vous affairer dans la cuisine ou sur le point de vous coucher dans la chambre. Cette maison est-elle faite pour vous ?

480 FAITES BIEN LES CHOSES

Pour mettre toutes les chances de votre côté lorsque vous vendez votre maison, assurez-vous de la présenter propre et nette : la peinture qui s'écaille, la décoration inachevée et les sols salis sont toujours dissuasifs pour les acheteurs potentiels.

481 VENDEZ UNE ATMOSPHÈRE

Ce n'est pas seulement votre maison que vous essayez de vendre, c'est un style de vie. Une bonne odeur de café, de jolies fleurs dans un vase et des magazines sur une table contribueront à ce que les acheteurs potentiels s'y sentent bien.

482 TROUVEZ LA BONNE APPROCHE

La première impression compte beaucoup lorsqu'on visite une maison. Si vous voulez vendre la vôtre, assurez-vous que la façade est soignée : c'est la première chose que les acheteurs éventuels verront et elle risque d'influencer leur jugement. Tondez, repeignez et faites la chasse aux mauvaises herbes.

483 REGARDEZ DE PLUS PRÈS

Si vous cherchez une maison, ne vous laissez pas influencer par les efforts déployés par le propriétaire pour que vous vous y sentiez bien. Ne prêtez aucune attention aux feux de cheminée, odeurs de pain frais et autres « coquetteries », mais observez uniquement la maison. Pourrez-vous bien la chauffer ? Quels sont les travaux à faire ?

484 FAITES VOS COMPTES

Avant de décider d'acheter, vérifiez que vous avez prévu assez d'argent pour l'aménagement, les impôts et les expertises. Il est important d'établir un budget précis car déménager peut se révéler vraiment très onéreux.

485 DEMANDEZ UNE ÉVALUATION

Si vous souhaitez faire évaluer la maison que vous comptez acheter, essayez de faire appel aux services d'un expert qui vous a été recommandé. Interrogez vos amis et connaissances qui ont déménagé récemment. Ne pas lésiner sur la qualité du professionnel choisi vous fera économiser des frais de justice à long terme.

486 VISITEZ PLUSIEURS FOIS

Visitez une maison au moins deux fois avant de prendre la décision de l'acheter. Choisissez différents moments de la journée pour voir les différences d'atmosphère et si elle convient à votre style de vie et à votre budget. Un lieu calme peut être agréable pendant la journée, mais sera-t-il sûr la nuit ? Les légumes que vous cultivez pour faire des économies pousseront-ils dans ce jardin orienté au nord ?

487 FAITES-VOUS CONSEILLER

Renseignez-vous sur les possibilités d'emprunt avant d'aller voir les agences immobilières. Soyez au courant dès le départ des options qui s'offrent à vous pour économiser du temps et conclure un marché plus avantageux.

488 FAITES UNE LISTE

Avant d'aller visiter, faites une liste afin de ne pas perdre de vue vos priorités ou votre budget. En effet, si vous visitez beaucoup de maisons, vous risquez de finir par les confondre, vous verrez alors que c'est une bonne idée de poser des questions et de noter vos priorités.

À l'extérieur

489 COMMENCEZ PAR SEMER

Un paquet de graines de tomates vaut souvent aussi cher qu'un plant de tomates, mais il contient potentiellement 30 à 40 plants. Même si cela exige plus d'organisation et de temps, semer des graines fait souvent faire des économies importantes. Pensez à recycler des récipients, des pots de yogourts par exemple, pour faire vos semis.

490 COMPOSTEZ

Faire un compost est écologique et permet aussi de réduire les coûts d'enlèvement ou de transport des déchets de jardin, sans compter l'engrais gratuit et naturel dont vous disposerez. Les propriétés naturelles du compost contribuent également à enrayer la progression des maladies, et donc à éviter de devoir prendre à grands frais des mesures à cet effet. Vous pouvez faire un compost à partir de tout et n'importe quoi, de l'herbe tondue au marc de café en passant par les vêtements en fibres naturelles et les épluchures.

491 PRÉVOYEZ

Faites une liste de tout ce que vous voudriez avoir dans votre jardin. Cela vous aidera à ne pas vous laisser tenter par un achat irréfléchi. Par ailleurs, prévoir précisément les plantes que vous voulez cultiver vous empêchera de faire des erreurs de dernière minute qui peuvent revenir cher, comme de placer à l'ombre des plants qui aiment le soleil.

492 FAITES VOTRE JARDIN

Cultiver ses propres légumes est sans aucun doute un moyen fantastique de faire des économies, mais cela demande du travail. Commencez avec des plantes faciles à cultiver comme les tomates et progressez lentement pour éviter d'être débordé.

493 PENSEZ POLYVALENT

À chaque fois que c'est possible, essayez de choisir des plantes qui présentent plus d'un atout pour le jardin, par exemple celles qui attirent les insectes utiles comme le fenouil et la coriandre ou celles qui ne perdent pas leurs feuilles en hiver pour avoir de la couleur toute l'année. On peut aussi planter des arbres qui donneront des fruits ou de l'ombre en été.

494 LESSIVEZ LES MAUVAISES HERBES

Vous pouvez préparer votre propre herbicide avec une tasse de vinaigre et une demi-tasse de liquide à vaisselle, ou utiliser du vinaigre pur. Une autre option consiste à verser de l'eau bouillante sur les mauvaises herbes, puis à les arracher.

495 NE PAYEZ PAS LE BOIS

Avant d'acheter du bois pour votre cheminée, demandez aux services forestiers du voisinage si vous pouvez en prendre dans les forêts voisines. Les magasins de menuiserie eux aussi ont souvent du bois de reste dont ils ne demandent qu'à se débarrasser.

496 ÉCHANGEZ LES GRAINES

Pourquoi ne pas conserver les graines des plantes que vous avez cultivées et organiser un troc entre amis ou voisins ? C'est un bon moyen de diversifier vos cultures sans dépenser un sous, avec l'assurance que les variétés obtenues ont été testées. Mieux vaut organiser le troc avec vos voisins les plus proches car le sol et les conditions de culture y sont généralement identiques à ceux de chez vous.

497 FAITES GRIMPER LES PLANTES

Les variétés grimpantes sont souvent plus économiques que les variétés buissonnantes car elles produisent plus pendant plus longtemps, tout en laissant davantage de place pour d'autres cultures.

498 COPINEZ

Trouvez-vous un ami avec qui parler de jardinage, et faites des économies en partageant les coûts avec lui. Vous pouvez par exemple acheter un paquet de graines pour deux, partager vos outils ou acheter en gros pour bénéficier de meilleurs prix.

499 ENTREZ AU CLUB

Rejoindre un club de jardinage est un excellent moyen de dépenser moins. Cela vous aidera à entretenir votre passion en rencontrant d'autres jardiniers. En outre, beaucoup de clubs organisent le partage des coupes, graines et plants, et leurs membres bénéficient souvent de réductions dans les magasins de jardinage les plus proches.

MODE ET BEAUTÉ

Achats mode

500 FIXEZ-VOUS UN OBJECTIF

Notez ce que vous dépensez en vêtements pendant un an. L'année suivante, fixez-vous de tout acheter pour la moitié du prix : même si vous vous faites un petit cadeau, vous aurez ainsi encore du crédit.

501 QUI NE DEMANDE RIEN N'A RIEN

N'ayez pas peur de demander un rabais, même dans les grands magasins. La plupart du temps, les magasins ne voudront pas rater une vente et s'arrangeront pour baisser le prix.

502 PENSEZ POLYVALENT

La plupart des femmes portent 20 % de leurs vêtements 80 % du temps. Aussi, toutes les fois que vous le pouvez, choisissez des vêtements polyvalents que vous pourrez porter avec plus d'une tenue – les pantalons ou jeans noirs par exemple peuvent être assortis à différents vestes et hauts ou à plusieurs chemises. Essayez de n'acheter que des habits qui vont avec ceux que vous possédez déjà.

503 SOYEZ SÛR DE VOUS

Si vous achetez quelque chose dont vous n'êtes plus sûr une fois rentré à la maison, rapportez-le ! N'attendez pas de voir si cela vous va, il restera au fond de votre placard et ce sera de l'argent gaspillé. Ne craignez jamais de rendre un article si vous avez changé d'avis.

504 RÉFLÉCHISSEZ AVANT D'ACHETER

Sauf pour les grandes occasions, fixez-vous comme règle de ne jamais acheter toute une tenue en une seule fois. Vous apprendrez ainsi à penser au reste de votre garde-robe pendant vos achats plutôt qu'à acheter trop de choses que vous n'utiliserez pas.

505 N'ADOPTEZ PAS LES ORPHELINS

Même si vous craquez sur une robe de créateur originale ou un chemisier en soie et perles exquis, posez-vous la question de savoir si vous les porterez vraiment. Avant de dépenser de l'argent pour un article de luxe, voyez s'il s'assortira à votre garde-robe et s'il conviendra à votre style de vie. N'achetez pas d'« orphelins », qui resteront sur un cintre pendant des années.

506 SÉPAREZ LES COSTUMES

Si vous achetez un tailleur dans un grand magasin, prenez les éléments séparément. Les vestes durent plus longtemps que les pantalons et les jupes, achetez donc deux bas pour chaque haut afin d'éviter de renoncer à une veste en parfait état plus tard.

507 RAJOUTEZ DES COUCHES

Au lieu d'acheter des habits d'hiver et des habits d'été, constituez-vous une garde-robe à partir d'articles que vous pourrez superposer, en rajoutant des couches en hiver et en enlevant en été. Achetez des vêtements qui peuvent être portés en toute saison.

508 ASSORTISSEZ

Avant d'acheter un vêtement, réfléchissez en pratique quand et où vous le porterez et avec quels autres habits. Emmenez une image (mentale ou autre) de votre garde-robe en allant faire les courses pour être sûr d'acheter quelque chose qui convient à votre style, et pas seulement quelque chose qui vous va.

509 FUYEZ LE CRÉDIT

Les cartes de crédit des magasins ont des taux d'intérêt parmi les plus élevés de tous, aussi mieux vaut se fixer une règle simple : n'achetez que ce que vous pourrez payer à la fin du mois. N'achetez pas un article pour lequel vous devrez payer des intérêts, mais économisez jusqu'à avoir assez pour vous l'offrir.

510 COMBATTEZ LA FRÉNÉSIE

Les grandes surfaces sont un excellent moyen de faire des économies, mais seulement si vous vous contentez d'acheter ce que vous avez prévu. Rien ne sert de se charger d'articles bon marché uniquement parce qu'ils ne sont pas chers.

511 CONNECTEZ-VOUS

Une fois que vous avez trouvé une marque ou un modèle qui vous plaît, vérifiez si les articles sont vendus en ligne avant de les acheter. Essayez votre jean préféré et achetez-le sur Internet, vous pourrez ainsi économiser beaucoup d'argent.

512 TENEZ UN JOURNAL

Au début de chaque saison, passez votre garde-robe en revue et notez tout ce que pensez devoir renouveler – rayez les articles de la liste au fur et à mesure que vous les achetez. Cela vous permettra d'avoir en tête ce dont vous avez besoin lorsque des affaires se présentent et vous évitera de gaspiller de l'argent en achetant des articles dont vous n'avez pas besoin.

513 METTEZ PAR ÉCRIT

Pour déterminer si vous achetez efficacement ou si vous gaspillez souvent, notez la date et le lieu de vos achats, combien de fois vous avez porté ces achats et le moment où vous vous en êtes débarrassé. Au bout d'un an, vous comprendrez comment tirer le meilleur profit de votre argent.

514 PASSEZ À L'ÉLECTRONIQUE

Inscrivez-vous aux *news letters* de vos magasins préférés pour qu'ils vous envoient des bons de réduction et vous informent de leurs prochaines soldes. Il existe des sites Internet consacrés à la recherche de bons de réduction sur la toile.

515 ALLEZ À L'USINE

Si vous vous êtes entiché d'une marque de vêtements, vous pouvez économiser jusqu'à 50 % en les achetant en magasin d'usine. Pour cela, le mieux est de contacter la marque pour savoir où sont vendus les articles de second choix et les stocks invendus. Avec un peu de chance, ce ne sera pas loin de chez vous.

516 SENSIBILISEZ-VOUS

Examinez de près les tendances du moment et classez-les en deux catégories : les essentiels qui dureront plusieurs années et les articles éphémères qui ne seront plus à la mode la saison prochaine. Assurez-vous de dépenser la majeure partie de votre budget (par exemple 80 %) en essentiels.

517 CONSULTEZ

Cela peut paraître une dépense inutile, mais faire appel à un conseiller en mode est un excellent moyen de faire des économies. Un conseiller efficace vous permettra de dépenser moins en s'assurant que tous vos vêtements vont bien ensemble.

518 PATIENTEZ

Même si vous avez envie d'un article tout de suite, posez-vous d'abord la question de savoir si vous en avez vraiment besoin. Fixez-vous pour règle de n'acheter que ce dont vous avez besoin tout de suite et dressez une liste de vos autres envies en attendant que les prix baissent. Prenez l'habitude d'observer les magasins pour acheter en cas de réductions.

519 BAISSEZ SUR LES MARQUES

Vêtements, sacs, chaussures et accessoires de haute couture sont moins chers lors des liquidations des créateurs, des ventes d'échantillons (si vous avez la taille mannequin), des ventes en avant-première et en ligne sur des sites. Pensez aussi à explorer le quartier de la confection des grandes villes où sont installés les grossistes et les ateliers qui organisent parfois des ventes.

520 ACHETEZ POUR LONGTEMPS

Préférez acheter des articles durables, même s'ils sont un peu plus chers. Les habits de qualité ont des coutures solides et sont renforcés aux endroits soumis aux plus fortes tensions pour résister à un usage quotidien. Évitez en revanche les coutures lâches ou les tissus qui ne se lavent pas bien.

521 RESTEZ CLASSIQUE

Au lieu de vêtements dans la dernière couleur à la mode, choisissez des basiques au style classique et aux teintes neutres qui dureront plus d'une saison, puis ajoutez des accessoires à la mode – par exemple un foulard ou un sac à bas prix – pour les faire paraître actuels.

522 NE SORTEZ PAS DE LA FAMILLE

Pour élaborer le budget de votre garde-robe, pensez aux familles de couleurs : si vous n'avez que des vêtements noirs ou gris par exemple, n'achetez pas trop de bleu marine, même si c'est la dernière mode. Pensez toujours aux vêtements que vous avez déjà en faisant vos courses et n'achetez que des articles qui vont avec au moins deux ou trois d'entre eux.

523 ACHETEZ EN SOLO

Si vous savez exactement ce dont vous avez besoin et avez déterminé où vous comptez l'acheter, restez seul. Cela vous évitera de vous laisser convaincre d'acheter des articles dont vous n'avez pas vraiment besoin ou qui ne correspondent pas à ce que vous cherchez. Si vous sortez avec des amis, arrangez-vous pour disposer d'une demi-heure en solitaire pour vous concentrer et aller droit au but.

524 PENSEZ LAINE

Les grands magasins proposent des vêtements bon marché. Dans la plupart des cas, ce sont des habits qui peuvent être portés sans problème, à l'exception des articles tricotés, qui sont souvent leur point faible. Bannissez ceux à forte proportion de laine pour éviter le look distendu et délavé.

525 ACHETEZ HORS SAISON

Pensez à acheter de nouveaux vêtements hors saison. Faites un stock d'articles de base à porter toute l'année, tels que t-shirts, chemises, sous-vêtements et jeans, dès qu'ils sont en promotion.

526 APPARIEZ

Ne lésinez pas sur les articles de base tels que jeans, pantalons noirs et bonnes chaussures. De même, un chemisier de coton blanc, simple et classique, est toujours un bon investissement car il est assorti à presque tout et peut être porté de beaucoup de manières. Pour les occasions où le style et la correction importent particulièrement, une imitation bon marché ne conviendra pas. Achetez ce que votre budget vous permet de mieux et cherchez par ailleurs des articles tendance moins chers, originaux et colorés à porter avec ces vêtements de qualité pour rester à la mode.

527 SOYEZ PATIENT

Vous en aurez plus pour votre argent si vous attendez quelques mois avant d'acheter les vêtements dernier cri. Par exemple, les articles d'automne/hiver sont plus chers au milieu de l'été mais sont démarqués un ou deux mois plus tard. Il suffit même d'attendre un peu plus longtemps, pour économiser jusqu'à 75 % (en plus, vous achèterez vos vêtements au moment où vous en aurez besoin).

Occasion et vintage

528 RÉALISEZ VOTRE RÊVE

La recherche de bijoux anciens de qualité ou de pierres véritables, notamment de diamants, est souvent longue et difficile. Elle implique de connaître parfaitement la période, la bijouterie et le nombre de carats recherchés. Apprenez à reconnaître les poinçons sur les métaux précieux pour ne pas vous faire avoir.

529 PRENEZ DE L'AVANCE

Le meilleur moyen de gaspiller son argent en vêtements coûteux est d'attendre la dernière minute pour réfléchir à la tenue à porter dans une soirée. Faites régulièrement le tour des boutiques d'occasion des associations caritatives et gardez un œil sur leurs stocks : vous ne pourrez certainement pas y trouver la petite robe noire idéale le jour même, mais vous y dénicherez peut-être la tenue parfaite un autre jour et vous pourrez la garder pour la bonne occasion.

530 DÉPENSEZ PEU, AVEC PLAISIR

Les reproductions de bijoux vintage sont parfois amusantes et originales pour des prix plus que modiques. Surtout, achetez ce qui vous plaît vraiment : toute acquisition sur un coup de tête qui n'est jamais portée est une erreur onéreuse.

531 SOUPESEZ ET MIREZ

Les bijoux qui ont l'air usés, abîmés ou qui présentent des réparations visibles ne sont pas de grande valeur. Les pièces d'un poids substantiel et de bonne qualité dureront plus longtemps et conserveront plus de valeur.

532 ORIENTEZ-VOUS

Pour faire des affaires dans les boutiques d'occasion des associations caritatives, cherchez celles des quartiers chics, où les vêtements seront sans doute de meilleure qualité, et celles qui sont proches des grands centres commerciaux car ces derniers font souvent don de leurs stocks invendus.

533 ACHETEZ POUR NE PAS OUBLIER

Les marchés et les boutiques des maisons de retraite sont autant de bons endroits où trouver des marques vintage. Les bijoux et les vêtements qui y sont vendus ont souvent appartenu à des personnes décédées et sont donnés par les familles qui n'en connaissent pas toujours la valeur. En cherchant, on peut tomber sur des trésors cachés.

534 FARFOUILLEZ

Une ou deux fois par an, arrangez-vous pour aller dans une vente-débarras, une vente de charité ou un marché aux puces afin d'accumuler des articles de base tels que foulards ou autres accessoires essentiels.

535 ACHETEZ VINTAGE, PAS ANTIQUE

Si les boutiques vintage spécialisées et les friperies sont parfois chères, les stands des marchés tenus par des passionnés proposent souvent des occasions plus intéressantes, en particulier pour les bijoux fantaisie. Si ces pièces ne sont pas en mesure de séduire les collectionneurs, elles gardent le caractère et la beauté d'une époque révolue.

536 IMPROVISEZ ET INVENTEZ

Dans les boutiques d'occasion des associations caritatives, ne vous limitez pas aux vêtements de votre taille : ceux d'autres tailles ou les vêtements d'hommes peuvent souvent être facilement retouchés et adaptés à votre taille ou votre style. Les tissus et matériaux divers sont souvent aussi de bonnes affaires.

Vendre et échanger

537 PARTAGEZ

Échanger ses vêtements entre amis est une excellente idée pour s'habiller pas cher. Faites le tour de vos amis et inspectez leurs garde-robes pour voir ce qui pourrait vous aller. Convenez de la durée de l'échange, mais pensez à fixer au préalable les obligations de chacun en cas de dommage accidentel ou de perte. Vous pouvez aussi organiser une soirée troc avec des amis qui font la même taille que vous.

538 MARQUEZ

Si vous vendez sur eBay, gardez en tête que les marques sont très recherchées. Vous pourrez toujours tout vendre à un bon prix, mais si vous avez des articles de marques à la mode, vous pouvez faire un malheur. Grouper éventuellement les vêtements assortis pour faire monter le prix.

539 FAITES AFFAIRE

Si vous habitez une grande ville, vous trouverez certainement une friperie dans votre quartier. Renseignez-vous avant de vous y rendre : informez-vous des articles dans lesquels ils sont spécialisés, du pourcentage qui vous reviendra et des éventuels autres frais, puis choisissez celui qui vous convient le mieux.

540 REMETTEZ À NEUF

Si vous vendez des vêtements dans une friperie, vous obtiendrez un meilleur prix s'ils sont propres, repassés et sur des cintres. Plus ils auront l'air en bon état, plus ils seront vendus chers : sortez le cirage, le produit à faire briller les bijoux et les ciseaux pour couper les fils qui dépassent.

541 LANCEZ-VOUS DANS LE COMMERCE

Au lieu de laisser les vêtements que vous ne portez plus occuper un espace précieux, triez votre garde-robe à la fin de chaque saison. Vendez les articles neufs que vous n'avez pas portés sur Internet ou dans un vide-grenier et utilisez l'argent gagné pour acheter de nouveaux vêtements.

542 ACHETEZ ET REVENDEZ

Pour gagner de l'argent dans les friperies, ne vous limitez pas à votre garde-robe. Cherchez dans les boutiques d'occasion des associations caritatives les articles que vous pouvez revendre. Vous pourrez faire un joli profit pour changer de nouveau votre garde-robe.

543 EMPRUNTEZ

Parmi vos parents plus âgés, beaucoup ont sans doute au fond de leur armoire une pile de vêtements vintage qu'ils ne porteront plus jamais. Vous pourriez les en débarrasser et leur donner le plaisir de vous voir les apprécier. Demandez-leur donc si vous pouvez piller leur garde-robe.

544 FAITES-VOUS UN AMI

Le propriétaire de la friperie peut devenir votre meilleur allié pour gagner de l'argent en vous informant des produits les plus demandés, de ce que les clients recherchent et même des tailles, des styles et des marques qui se vendent le mieux. Ces renseignements sont souvent inestimables, surtout si vous faites la tournée des boutiques à la recherche d'articles à revendre.

Réparer et adapter

545 ACCROCHEZ-VOUS AU CROCHET

Pour conserver vos articles tricotés en parfait état, il n'y a pas de meilleur investissement qu'un crochet pour reprendre les mailles qui s'effilochent.

546 RETOUCHEZ

Ne jetez pas les vêtements qui ne vous vont plus, portez-les à une boutique de retouche ou arrangez-les vous-même. Ceux qui sont trop larges ou trop grands, en particulier, peuvent souvent être facilement raccourcis.

547 REPRISEZ

Au lieu de laisser s'agrandir les trous dans les chaussettes jusqu'à ce qu'ils soient difficilement réparables, pensez à repriser vos chaussettes dès que le moindre trou y apparaît. Vous aurez ainsi moins tendance à jeter les chaussettes et vous aurez besoin de moins de fil (et de travail) pour les repriser.

548 RACCOMMODEZ

Ne vous en faites pas si des vêtements que vous avez achetés à prix discount ou en solde sont légèrement abîmés. Avec un peu de travail, la plupart pourront être réparés.

549 COPIEZ

Pas de panique si votre vêtement favori approche de la fin. Donnez-le à une couturière tant qu'il peut encore être porté pour qu'elle en fasse une copie ou, mieux encore, décousez-le et faites-en un patron pour en réaliser vous-même une nouvelle version dans un autre tissu.

550 TROUVEZ UNE COUTURIÈRE

Si vous ne cousez pas vous-même, votre couturière ou retoucheuse pourrait bien devenir votre meilleure amie. Elle pourra vous aider et adapter votre garde-robe à des changements tels que perte ou prise de poids, ou encore grossesse, mais aussi transformer vos achats bon marché en articles personnalisés. Une autre idée consiste à échanger des compétences avec une amie qui sait coudre.

551 APPRENEZ À COUDRE

Même si vous ne possédez pas les compétences pour apprendre à tailler un jean ou une jupe, savoir faire quelques retouches simples peut vous faire économiser beaucoup. Commencez par les opérations de base telles que recoudre un bouton et faire un ourlet, l'inspiration ne tardera pas et vous pourrez vous essayer à des projets plus complexes.

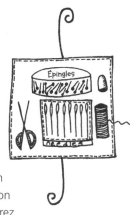

Mode à domicile

552 FAITES DE LA COUTURE

Beaucoup de magazines féminins proposent des patrons. Il vous suffit d'acheter le matériel, de trouver un patron qui vous convient et de l'utiliser pour différents articles.

552 CRÉEZ VOS BIJOUX

On peut faire toutes sortes de bijoux pour une somme modique avec du fil métallique, de l'élastique, des perles et des fermoirs. Conservez vos colliers et bracelets cassés, boucles d'oreilles dépareillées et rubans ou autres petits ornements pour vos nouvelles créations. Deux grosses perles en bois sur un lacet de cuir ou un ruban, par exemple, feront leur effet.

554 BRODEZ ET EMBELLISSEZ

Si vous êtes doué pour les travaux d'aiguille, vous pourriez rafraîchir un article démodé, un sac ou un accessoire avec une petite broderie – notamment pour dissimuler les taches ou les endroits abîmés.

555 FAITES DES PATRONS

Si vous savez coudre mais craignez de vous lancer sans patron, pourquoi ne pas suivre un cours de coupe ? Ils sont généralement bon marché. Pensez aux économies que vous réaliseriez si vous appreniez à copier la dernière mode et à réaliser vos vêtements à moindres frais.

556 TEINTURE, IMPRESSION ET PEINTURE

Les vieux t-shirts peuvent être teints, peints ou estampés de motifs divers pour les renouveler sans rien dépenser, ou presque. Utilisez des marqueurs pour tissu pour dessiner certains détails. Toutes ces techniques donnent les meilleurs résultats sur les articles en coton.

557 AJOUTEZ UN RUBAN

Gardez les rubans des paquets-cadeaux, des sacs de magasins et des merceries pour donner une nouvelle jeunesse à vos vêtements. Utilisez des rubans, de la dentelle ou des franges pour changer les bretelles de vos robes, et bordez les ourlets de vos jupes avec un ruban large. Quelques connaissances de base en couture suffisent généralement.

558 PERSONNALISEZ

Cousez des perles, des sequins ou des pierres sur une jupe pour transformer un vêtement de tous les jours en une tenue pour les grandes occasions. Si le vêtement porte un motif floral ou géométrique, suivez-en les contours. Vous pouvez aussi piquer des perles autour d'une encolure ou le long d'un ourlet.

559 BOUCLEZ LA CEINTURE

Imaginez différents moyens de faire des ceintures à partir de toutes sortes de tissus ou d'articles de mercerie. Cousez une cravate, un foulard ou un ruban tissé ou tressé à une boucle en D ou en strass, ou encore fixez des diamants fantaisie ou des clous décoratifs sur une simple ceinture en mailles.

560 TRICOTEZ

Mettez-vous au tricot pour créer des écharpes, des chapeaux, des fourre-tout et des pulls originaux. On trouve de nombreux fils à un bon prix dans les grandes surfaces, de la soie au mohair ou aux fils métalliques.

561 TRANSFORMEZ

Fouillez les magasins d'occasion et les ventes d'associations caritatives pour y trouver de vieux napperons ou chemins de table qui pourront faire des sacs à main des cabas solides. Cousez deux carrés l'un à l'autre ou pliez un rectangle en deux et piquez les côtés, puis retournez et piquez la circonférence en laissant une ouverture où enfiler un cordon – ou cousez des poignées.

Recycler et réutiliser

562 EMPAQUETEZ

Tirez profit des vieux collants que vous ne portez plus : enroulez-les autour des cintres pour les rembourrer et protéger vos vêtements.

563 GARDEZ

Si certains de vos vêtements sont trop abîmés ou trop vieux pour pouvoir être donnés à une association caritative, ne les jetez pas, ils seront très utiles pour envelopper les objets fragiles ou les emballer en cas de déménagement.

564 GANTEZ-VOUS DE COTON

Coupez une paire de mitaines en coton dans une vieille chemise ou un vieux t-shirt et mettez-les avant d'enfiler vos bas ou collants pour éviter de tirer un fil ou d'accrocher la maille : ces derniers dureront plus longtemps et vous aurez moins souvent à en acheter de nouveaux.

565 PROTÉGEZ VOS VÊTEMENTS

Au lieu de jeter les vieux t-shirts, faites-en des protections pour les vêtements rangés dans vos armoires.

566 RAMASSEZ LES BOUTONS

Ne jetez jamais un vêtement sans en avoir décousu les boutons. Ceux-ci pourront servir pour décorer ou remplacer ceux d'autres vêtements, pour faire de meilleures affaires dans les friperies.

Entretenir ses vêtements

567 FAITES ATTENTION

Prendre soin de ses vêtements est un excellent moyen de prolonger leur durée de vie pour ne pas devoir en racheter de nouveaux trop souvent. Pour garder les vêtements que vous portez au bureau en bon état, changez-vous dès que vous êtes rentré et portez de vieux habits à la maison.

568 LIMITEZ LES LESSIVES

L'une des manières les plus rapides d'user ses vêtements est de les laver trop souvent. Par conséquent, limitez-vous à un minimum de lessives, surtout pour les vêtements qui ne sont pas en contact avec la peau. Lavez à basse température le plus souvent possible, c'est mieux pour les vêtements et pour l'environnement.

569 TRAVAILLEZ SUR LES TACHES

Le temps c'est de l'argent. Pensez à toujours avoir du détachant chez vous pour agir rapidement et éviter de ruiner vos vêtements sans espoir de récupération.

570 FAITES LE VIDE

Les sacs sous vide sont très pratiques pour stocker les vêtements que vous gardez pour la saison prochaine car ils les conservent en parfait état et font de la place dans l'armoire. Ils empêchent les mites de s'attaquer aux vêtements et diminuent les risques liés au stockage.

571 PRENEZ L'AIR

Suspendez vos vêtements dès que vous les enlevez. Toutefois, pour mieux les conserver, veillez à les accrocher dans votre chambre ou dans votre dressing avant de les ranger dans l'armoire, cela les aérera. Si vous n'avez pas la place, créez des cintres multiples avec trois ou quatre cintres accrochés les uns aux autres pour éviter de froisser les vêtements.

572 RETOURNEZ

Avant de laver des articles tricotés ou en pilou, mettez-les à l'envers. Vous préviendrez ainsi le peluchage et le boulochage qui leur donnent l'air d'avoir été trop portés.

573 PROTÉGEZ LES SEQUINS

Protégez les vêtements ornés de sequins ou de perles dans votre armoire ou votre commode à l'aide de papier de soie que vous aurez gardé de vos achats précédents. Vous éviterez ainsi de les abîmer, ou d'abîmer d'autres articles.

574 MOUILLEZ

Le nettoyage à sec coûte cher. Si possible, essayez de ne pas acheter de vêtements qui doivent être nettoyés à sec pour éviter cette dépense. Au lieu de faire nettoyer les costumes, lavez-les en douceur dans une laveuse à chargement frontal et repassez-les en plaçant un torchon uni sous le fer pour éviter de laisser des traces luisantes. Ce traitement soigneux convient à tous les vêtements sauf aux plus fragiles et aux plus chers.

Vêtements d'enfants

575 ACHETEZ SUR PLACE

Les groupes de parents du voisinage organisent souvent des ventes de vêtements d'enfants. Ne les manquez pas, vous ferez des affaires.

576 ACHETEZ EN GRAND

Les nouveau-nés grandissent si vite que cela ne vaut pas vraiment la peine de leur acheter beaucoup de vêtements. Contentez-vous plutôt de quelques articles que vous laverez régulièrement. En revanche, achetez plus de vêtements au fur et à mesure que les enfants grandissent car vous en tirerez plus de profit.

577 RENFORCEZ

Consolidez les vêtements d'enfants aux endroits où ils s'usent le plus. Les épaules et les fermetures sont soumises à de fortes tractions, cela vaut toujours la peine de les renforcer par quelques points pour éviter de futures réparations trop importantes.

578 PRÊTEZ ET EMPRUNTEZ

En ce qui concerne les vêtements d'enfants, emprunter, prêter et échanger sont d'excellents moyens de faire des économies car les enfants grandissent rapidement. Demandez à vos amis et à vos connaissances s'ils sont intéressés par ce type d'accord.

579 COURREZ LES VENTES

Les ventes-débarras et les marchés aux puces ont toujours un surplus de vêtements d'enfants à proposer, mais ne vous contentez pas de regarder ceux qui sont suspendus : beaucoup de gens laissent les vêtements d'enfants dans des seaux et des paniers parce qu'ils n'ont pas le courage de les repasser. Cela vaut donc la peine de fouiller pour faire des affaires.

580 MESUREZ

Noter les mensurations et les tailles des membres de la famille dans un petit carnet ou sur un papier à apporter avec vous pour faire vos achats. Un mètre ruban peut aussi être utile pour savoir avec certitude si un article ira ou pas.

581 STOCKEZ CHEZ VOUS

Si vous pensez avoir plusieurs enfants, emballez soigneusement les vêtements trop petits dans des boîtes ou des sacs et gardez-les chez vous. Les parents les plus organisés peuvent les trier par sexe pour repérer d'un seul coup d'œil ce qui peut être réutilisé.

582 FAITES DES SHORTS

Au lieu d'acheter de nouveaux habits d'été pour vos enfants, transformez les pantalons longs d'hiver devenus trop petits en shorts. Si la taille va encore, il suffit d'un peu de toile thermocollante pour obtenir un nouveau short qui durera tout l'été.

583 ACHETEZ POUR AGRANDIR

C'est parfois frustrant – et cher – d'acheter des vêtements aux enfants car ils grandissent rapidement. Essayez d'investir dans des articles qui pourront être retouchés au fur et à mesure : pantalons à ceinture ajustable et revers à replier ou vestes et hauts dont les manches peuvent être retroussées.

Chaussures

584 SENSIBILISEZ-VOUS

Des chaussures à talons plats sans fantaisie ne sont pas forcément les plus confortables. Avant d'acheter des chaussures, assurez-vous que vous serez bien dedans.

585 BRICOLEZ

Aller chez le cordonnier est un bon investissement. Choyez vos chaussures pour prolonger leur durée de vie. Beaucoup de cordonniers réparent aussi d'autres articles en cuir, notamment les sacs, alors profitez de votre passage chez le cordonnier pour refaire une beauté à votre sac à main.

586 CAMOUFLEZ

Gardez un feutre à portée de main pour colorier les éraflures de vos chaussures. C'est un excellent moyen de dissimuler les marques et les taches. Vous pourrez ainsi conserver vos chaussures plus longtemps.

587 REDONNEZ FORME

La plupart des chaussures révèlent
leur âge au niveau des orteils. Investir
dans des « sauve-bottines » vous permettra
de rembourrer vos bottes et de prévenir
les plis et les rides.

588 REMBOURREZ

Si vous avez plusieurs paires de chaussures
que vous ne portez pas très souvent, mieux
vaut les garder en forme. Les embauchoirs
coûtent cher, remplacez-les par du papier-
journal pour rembourrer les orteils ou conservez
à cet effet les feuilles dans lesquelles les
chaussures étaient emballées lors de l'achat
pour qu'elles ne se déforment pas.

589 OSEZ LA COULEUR

Les chaussures les plus susceptibles de faire
l'objet de rabais pendant les soldes sont
celles aux couleurs voyantes ou originales.
Profitez-en pour compléter votre garde-robe
par des chaussures de soirées originales
ou des souliers plats pour la journée dans
d'autres couleurs que noir ou marron.
Le changement ne peut que faire du bien.

590 RESTEZ CLASSIQUE

À chaque saison, il s'agit de trouver
des chaussures classiques, mais qui sont
quand même à la mode. Le juste milieu
reste la meilleure option : cherchez une paire
qui ira avec plusieurs tenues mais qui sera
également dans l'air du temps. Souvenez-
vous également que des chaussures
au design trop original vous lasseront vite.

591 NE CÉDEZ PAS À LA TENTATION

Rappelez-vous qu'acheter des chaussures
que vous ne porterez pas vous empêchera
d'acheter celles dont vous avez vraiment
besoin. Ne dépensez pas votre argent avec
une paire qui ne sortira pas de l'armoire alors
qu'un autre modèle pourrait parer vos pieds
au mieux. Soyez honnête avec vous-même.

592 INSCRIVEZ-VOUS

Abonnez-vous à la news letter de votre
magasin de chaussures préféré : vous serez
toujours informé des soldes avant tout
le monde et vous pourrez sans doute
bénéficier de réductions sur des chaussures
non soldées.

593 ACHETEZ HORS SAISON

Achetez vos chaussures à la fin de la saison, ou même pendant la suivante. Les sandales vernies vendues au prix fort en été seront sensiblement moins chères quelques mois plus tard. Plus vous attendrez, plus le prix baissera, mais gardez un œil sur le stock pour ne pas manquer le modèle ou la taille que vous voulez.

594 RÉFLÉCHISSEZ AVANT DE SIGNER

Avant de souscrire des cartes de membre ou de vous inscrire à des programmes de récompenses et de promotions, faites le calcul : cela vous fera-t-il vraiment gagner de l'argent toute l'année ? Déterminez quand et comment vous économiserez et si cela en vaut la peine.

595 RESSEMELEZ

Les semelles intérieures sont un bon moyen de prolonger la durée de vie des chaussures sans qu'elles perdent de leur confort. Si vous ne voulez pas en acheter de neuves (même si c'est un investissement qui en vaut la peine), fabriquez-en avec du papier-journal.

596 LAISSEZ BÉBÉ MARCHER

Ne tombez pas dans le piège qui consiste à acheter au prix fort des chaussures de bébé. Tant qu'ils ne marchent pas, les enfants n'ont pas besoin de chaussures et, pour ceux qui commencent à marcher, rien ne vaut les pieds nus qui leur permettent de sentir la surface sur laquelle ils évoluent.

597 PENSEZ POLYVALENT

Les enfants ont les pieds très délicats. Il vaut donc mieux dépenser pour acheter une bonne paire de chaussures plutôt que d'en acheter plusieurs à moindre coût, et donc de moins bonne qualité.

598 ACHETEZ D'OCCASION

Même si votre enfant a besoin de chaussures chic pour une occasion particulière, cela ne sert à rien de dépenser beaucoup d'argent alors qu'elles ne seront pas portées plus d'une ou deux fois. Dans ce cas, et comme elles ne seront pas portées suffisamment pour blesser durablement le pied de l'enfant, on peut opter pour un modèle pas cher ou d'occasion.

599 CAOUTCHOUTEZ

Acheter à peu de frais des semelles adhésives en caoutchouc pour vos chaussures préférées pourra certainement leur sauver la vie car les premiers signes d'usure apparaissent souvent sur la semelle. Collez les nouvelles semelles pour ne plus glisser et éviter d'abîmer encore plus les chaussures, mais vérifiez régulièrement leur degré d'usure.

600 POLISSEZ

Pas besoin d'acheter de cirage : vous pouvez utiliser le même mélange de cire d'abeille et d'essence de térébenthine avec lequel vous faites briller vos meubles. Le cuir verni peut être nettoyé avec de la vaseline ou l'intérieur d'une peau de banane.

601 CIREZ

Cirez régulièrement vos chaussures même si elles n'ont pas l'air d'en avoir besoin, c'est un excellent moyen de nourrir le cuir et de lui conserver toute sa souplesse et sa forme. Ainsi, les chaussures dureront plus longtemps et n'auront l'air « fatiguées » que lorsqu'elles le seront vraiment.

602 LISEZ LES CRITIQUES

Avant d'acheter des chaussures en ligne, lisez les commentaires des autres acheteurs, surtout lorsque les frais de port sont élevés. Faites une recherche et trouvez le meilleur site pour acheter les chaussures voulues.

603 ÉCUMEZ

La vapeur est très bonne pour le daim : placez les chaussures ou les gants en daim sous la vapeur qui s'échappe d'une bouilloire – en veillant à vous protéger les mains –, puis brossez-les simplement pour les rafraîchir. Faites de même avec les sacs ou les vêtements en daim.

Bain et produits de beauté

604 SÉCHEZ VOS LAMES

Les lames de rasoir dureront plus longtemps si vous les essuyez au lieu de simplement les laisser sécher.

605 PENSEZ GRANDES SURFACES

Procurez-vous vos savons et crèmes pour le corps dans les grandes surfaces. On y trouve souvent de grandes marques à des prix très bas.

606 GARDEZ LES FLACONS

Si vous ramenez des échantillons ou des cadeaux d'hôtels ou d'instituts de beauté, ne jetez pas les bouteilles mais lavez-les et remplissez-les de vos produits habituels avant de partir en vacances pour économiser l'achat de versions miniatures.

607 ARRÊTEZ LES EXTRAS

Avez-vous vraiment besoin de deux crèmes différentes – et chères – pour vos yeux ? Vous pourriez faire des économies en n'achetant une crème chère qu'une fois sur deux. Faites l'expérience au quotidien et notez les éventuels changements au bout d'un mois.

608 NE LAISSEZ RIEN

Au lieu de jeter le tube de dentifrice lorsque vous ne pouvez plus en faire sortir la moindre goutte, ouvrez-le avec des ciseaux et récupérez le dentifrice qui y reste.

609 TESTEZ

Demander des échantillons de produits avant d'acheter. La plupart des magasins en ont une réserve sous le comptoir qu'ils donnent aux meilleurs clients. Utilisez le produit dans différentes situations pour voir si c'est vraiment celui qui vous convient.

610 NE SPÉCIALISEZ PAS

Les offres spéciales « deux pour le prix d'un » sont toujours intéressantes sur le coup, mais il n'y a rien de pire que de se retrouver avec une bouteille de lait hydratant qui ne vous convient pas en deux exemplaires ! Cédez uniquement aux offres qui concernent des produits que vous êtes sûr d'utiliser.

611 ESSAYEZ ET ESSAYEZ ENCORE

N'abandonnez pas votre nouveau produit sous prétexte qu'il ne vous offre pas les effets espérés immédiatement. Les cellules de la peau se régénèrent en quatre semaines, il convient donc d'attendre au moins aussi longtemps pour voir si un nouveau produit agit ou non.

612 INVENTEZ

Si votre nouveau produit hydratant est trop gras pour le visage, il se peut qu'il fasse des miracles sur les coudes secs. Et peut-être que cet exfoliant trop agressif pour le visage pourrait donner à vos pieds fatigués une douceur de rêve ? Si un produit ne remplit pas sa fonction initiale, utilisez-le autrement.

613 DÉTOURNEZ

Faites preuve de créativité et détournez les produits que vous ne voulez plus. Les shampooings et après-shampooings par exemple sont parfaits pour laver à la main les pulls en laine ou en cachemire, et donc économiser l'achat de produits spécialisés.

614 FAITES-VOUS REMBOURSER

Si vous avez acheté un produit de beauté sur la foi de promesses publicitaires et qu'il ne répond pas à vos attentes, vous êtes parfaitement en droit de contacter le fournisseur et de demander un remboursement. Les produits à l'origine de réactions allergiques peuvent aussi être remboursés.

615 DIMINUEZ LES QUANTITÉS

Veiller à ne pas utiliser trop de produits. Les abus les plus fréquents se produisent avec les gels douche, les sels de bain et les shampooings. Essayez de diminuer de moitié les quantités que vous utilisez habituellement pour voir si vous constatez une différence.

616 MULTIPLIEZ

Les produits deux-en-un sont d'excellents moyens de faire des économies en n'achetant qu'une bouteille au lieu de deux. Cela revient à utiliser moitié moins de produit pour le même résultat. Les deux-en-un les plus courants sont écran solaire et lait corporel, shampooing et démêlant, ou démaquillant et tonique.

617 RATIONALISEZ

Les produits astringents éliminent les traces de gras, de saleté et de maquillage, dégagent les pores et traitent les imperfections de la peau, mais saviez-vous qu'ils peuvent aussi soigner brûlures, morsures et piqûres ? De même, appliqués sur les ongles avant le vernis, ils contribuent à augmenter la résistance du vernis.

618 TROUVEZ DE NOUVEAUX USAGES

Un produit générique bon marché, par exemple une lotion bébé sans marque, est un produit très rentable car il peut aussi être utilisé comme hydratant quotidien et lotion pour la peau, ou encore démaquillant, huile de massage, gel douche, ou même pour lisser les cheveux.

619 LISEZ LA COMPOSITION

Avant d'acheter un produit cher, par exemple une crème ou un sérum oculaire, comparez le prix du générique et de la marque. Si la composition est identique, ou presque, vous pouvez économiser 50 % ou plus en achetant le produit générique.

620 JOUEZ LA POLYVALENCE

Parmi les achats indispensables pour tous ceux qui surveillent leur budget beauté, la vaseline se trouve en bonne place. Cette dernière peut servir aux petites urgences esthétiques telles que lèvres gercées, cuticules sèches et fourches, mais aussi être ajouté au maquillage, protéger la peau avant l'application de produits de beauté, ou même pour les bébés.

621 TAMPONNEZ

Ne pas dépenser votre argent en boules de coton, achetez un paquet d'ouate et faites vous-même vos tampons. Vous pouvez les conserver dans un joli bocal ou dans le sac des dernières boules de coton que vous avez utilisées.

622 FLOTTEZ DANS LE SEL

Le sulfate de magnésium est vous permettra de prendre un bain relaxant à moindre frais. Acheter le plus gros pot que vous trouverez pour bénéficier d'un prix encore plus avantageux.

623 PARFUMEZ ET AROMATISEZ

Au lieu d'acheter plusieurs produits de la même ligne que votre parfum, utilisez le parfum lui-même (sauf les eaux de toilette) pour faire votre huile de bain ou lotion pour le corps : ajoutez-en une goutte ou deux à une huile ou à une lotion non parfumée. Vous pouvez aussi personnaliser une crème pour le bain ordinaire et non parfumée en lui ajoutant quelques gouttes de votre extrait de parfum préféré.

Cosmétiques

624 NE GASPILLEZ PAS

Tous les ans, les produits de beauté que vous jetez sans les avoir terminés représentent des sommes colossales. S'il vous est déjà arrivé de renoncer à un fond de teint parce qu'il n'avait pas la bonne nuance ou de jeter une ombre à paupières qui faisait meilleur effet dans sa boîte que sur vos yeux, vous y contribuez. Fixez-vous comme règle d'essayer avant d'acheter.

625 CHOISISSEZ LE BRUN

Au lieu d'acheter au prix fort une ombre à paupières marron, choisissez un fard à joues brun et vous aurez les deux produits pour le prix d'un. Vous pourrez l'utiliser en fard à joues ou comme ombre/contour des yeux, ou encore en fard à paupières.

626 CONSERVEZ LE VERNIS

Si votre vernis à ongles a séché, ne le jetez pas. Ajoutez une goutte de dissolvant et agitez bien le flacon.

627 RECYCLEZ VOTRE BROSSE À DENTS

Ne dépensez pas votre argent pour une brosse ou un peigne à sourcils. Vaporisez un peu de laque ou de gel coiffant sur une vieille brosse à dents et utilisez-la pour peigner vos sourcils.

628 ACHETEZ LA BONNE QUANTITÉ

En achetant du maquillage, pensez aux quantités que vous utilisez. Rappelez-vous que la plupart des produits cosmétiques ne durent pas plus d'un an, alors n'achetez qu'en petites quantités.

629 FARDEZ-VOUS COORDONNÉ

Au lieu d'acheter un fard à joues, pourquoi ne pas utiliser votre rouge à lèvres pour teinter vos pommettes ? Ainsi, vous n'aurez pas à acheter un fard à joues assorti à chacun de vos rouges à lèvres et les couleurs de votre maquillage seront toujours coordonnées. Cela fonctionne aussi dans l'autre sens si votre rouge à lèvres est terminé.

630 SUBLIMEZ VOS CILS

Donnez un pouvoir allongeant à un mascara ordinaire en saupoudrant vos cils de poudre libre translucide avant de passer le mascara : la poudre fera adhérer le mascara aux cils. C'est une méthode parfaite pour obtenir l'effet d'un produit de qualité supérieure à un prix minime.

631 NE JETEZ PAS

Au lieu de jeter votre mascara lorsqu'il sèche et colle, utilisez la brosse pour peigner et colorer vos sourcils : couvrez la ligne d'une ombre à paupières puis brossez avec le vieux mascara. Vous éviterez ainsi l'achat de fard ou d'un peigne pour sourcils.

632 FAITES DE LA POUDRE

Pour faire votre propre poudre libre, broyez une poudre compacte bon marché (choisie dans une nuance légèrement plus sombre que celle de votre peau) et mettez-la dans un pot en verre ou en plastique stérilisé et hermétique. Ajoutez le double de talc, mélangez et vous aurez une poudre de riz idéale.

633 FAITES DURER LE ROUGE

Ne jetez pas le bout de votre rouge à lèvres. Sortez-le du tube et faites-le chauffer quelques secondes au micro-ondes pour le rendre de nouveau utilisable. Vous pouvez aussi le mélanger à de la vaseline pour obtenir un gloss coloré – n'hésitez pas à mélanger quelques-unes de vos couleurs préférées.

634 ÉVITEZ LE GIVRE

Au lieu d'acheter du maquillage de soirée à effet givré ou étincelant, investir dans une seule poudre givrée ou miroitante dont vous vous servirez pour rehausser votre maquillage mat habituel. Vous pouvez l'utiliser pour les yeux, lèvres, joues ou comme un surligneur et vous n'aurez acheté qu'un seul produit.

635 NE NÉGLIGEZ PAS LE FOND DE TEINT

Le fond de teint est un élément très important du maquillage. Par conséquent, c'est souvent une fausse économie d'acheter un produit bon marché et peu efficace. Mieux vaut dépenser un peu plus pour un bon fond de teint et en mettre moins – vous en aurez de toute façon besoin de moins car il tiendra mieux.

Soins de beauté

636 ÉCHANTILLONNEZ

Pour essayer du maquillage de luxe et des parfums, demander des échantillons. Ceux-ci vous seront particulièrement utiles pour un week-end ou une soirée entre filles et vous vous ferez plaisir gratuitement. Le meilleur moyen d'obtenir des échantillons consiste à poser des questions dans un institut de beauté. Les vendeurs vous en offriront sûrement pour vous faire essayer leurs produits.

637 AJUSTEZ VOTRE POUDRE

Si votre fard à joues poudre n'a pas la bonne nuance, ne le jetez pas. Mélangez-le à un peu de talc pour l'éclaircir s'il est trop foncé ou ajoutez un peu de fard brun, d'ombre à paupières ou d'autobronzant pour le rendre plus sombre.

638 AIGUISEZ

Au lieu de jeter les pinces à épiler lorsqu'elles s'émoussent, aiguisez-les avec du papier de verre. Il suffit de frotter le papier sur les extrémités de la pince pour obtenir une surface lisse et tranchante, puis de frotter la pince avec un tissu humide ou une éponge.

639 STOPPEZ LA CELLULITE

Pour vous faire un gommage anti-cellulite, mélangez une poignée de marc de café à votre gel douche habituel. Le café contient de la caféine censée aider à éliminer la cellulite, tandis que ses huiles adouciront votre peau.

640 INVESTISSEZ DANS L'ÉPILATION

Au lieu de bandes de cire ou d'une séance dans un salon de beauté, investissez dans un épilateur. L'appareil coûte à peu près autant que deux ou trois séances en institut. Faites le calcul vous-même !

641 MAÎTRISEZ LES SOURCILS

Pour les sourcils, le manque d'expérience peut donner de mauvais résultats. La prochaine fois que vous les faites épiler par un professionnel, retirez vous-même les repousse régulièrement. Avec un peu de pratique, vous apprendrez rapidement à le faire vous-même.

642 CIREZ

Si vous avez l'habitude de vous rendre dans un salon de beauté pour vous faire épiler, vous devriez essayer de le faire vous-même. Les kits de cire à la maison sont aujourd'hui de plus en plus efficaces.

643 SOIGNEZ-VOUS CHEZ VOUS

Les soins de beauté dans un salon ou un spa peuvent créer une véritable dépendance mais sont extrêmement dangereux pour votre porte-monnaie. Le meilleur moyen de tirer le meilleur parti de ces habitudes sans toucher à votre compte en banque est d'apprendre à vous faire ces soins vous-même. Et sinon, pourquoi ne pas réunir un groupe d'amies pour vous bichonner mutuellement ?

644 MANUCUREZ

Les salons de manucure et pédicure reviennent cher. Observez ce que l'on vous y fait et reproduisez-le chez vous en achetant un kit de manucure. Pour vous amuser, manucurez-vous entre amis. Commencez par essayer de réduire de moitié le nombre de séances en institut et observez les résultats.

Soins capillaires

645 FAITES FACE

Pour un effet parfaitement réussi, éclaircissez (ou assombrissez) des mèches autour du visage seulement. Cela revient moins cher que de faire toute la tête et la différence est flagrante.

646 ARRÊTEZ LA COULEUR

Les teintes comme le blond clair ou le roux laissent rapidement apparaître des racines, ce qui vous oblige à vous rendre chez le coiffeur plus souvent. Pour avoir de beaux cheveux sans dépenser trop, mieux vaut rester le plus près possible de sa couleur naturelle.

647 ABANDONNEZ

Plus le nombre d'opérations auxquelles vous soumettez vos cheveux est important, plus cela vous reviendra cher. Si vous voulez les teindre, demandez à votre coiffeur de modifier le ton en une seule fois ou d'utiliser un shampooing colorant, plutôt que de changer l'intensité de la teinte.

648 ADOPTEZ LA COUPE ÉTUDIANTE

Les apprentis coiffeurs proposent souvent des coupes gratuites si vous les laissez s'entraîner sur vous. Certains jeunes stylistes en formation baissent aussi les prix. Demandez au centre de formation le plus proche de chez vous.

649 LAVEZ MOINS

Se laver les cheveux tous les jours élimine les huiles naturelles de la peau du crâne qui peut se dessécher et gratter – ce qui risque de vous amener à vous laver les cheveux encore plus souvent. Essayez de ne vous faire un shampooing que tous les deux ou trois jours pour soigner la peau de votre crâne et utiliser moins de produits.

650 ÉCONOMISEZ LE SHAMPOOING

Pour prévenir l'accumulation de produits, ajoutez une cuillerée à thé de bicarbonate de soude à votre shampooing : vous en utiliserez moins car vos cheveux auront l'air plus propres et plus sains.

651 COLOREZ-VOUS CHEZ VOUS

La méthode la moins chère pour se teindre consiste à le faire soi-même. Ne vous sentez pas obligé de suivre à la lettre les instructions. Vous pouvez aussi mélanger deux formules (mieux vaut néanmoins s'en tenir à une marque) pour créer une couleur unique. Réserver les teintes plus foncées aux cheveux du dessous ou de l'arrière et les plus claires à l'avant de la tête.

652 FLASHEZ

Pour prolonger votre coloration (et réduire le nombre de séances chez le coiffeur), demandez un éclaircissement express entre deux rendez-vous. La couleur de vos cheveux sera préservée et vous devrez la revoir complètement beaucoup moins souvent.

653 DÉPENSEZ EN SHAMPOOING

Un shampooing de bonne qualité n'emmêle pas vos cheveux. Pour votre budget, mieux vaut donc acheter un bon shampooing, qu'un shampooing de mauvaise qualité et un démêlant.

654 ESSAYEZ LE MOINS CHER

Les lignes de produits les plus chères ont souvent des versions meilleur marché. Renseignez-vous pour savoir où les trouver, vous ferez des économies conséquentes.

655 JOUEZ LES MANNEQUINS

La plupart des grands salons de coiffure organisent des soirées où les jeunes stylistes exercent leurs talents. Pensez à informer votre coiffeur que vous êtes intéressé ou appelez d'autres grands salons et demandez à être inscrit sur la liste des « mannequins ».

656 COUPEZ AU CARRÉ

Les coupes avec très peu de dégradé ou sur une seule longueur, comme la coupe au carré, sont élégantes et gardent leur forme au fur et à mesure que les cheveux poussent, ce qui permet de les couper moins souvent. Une coupe courte continuera de faire bon effet une fois que les cheveux auront atteint les épaules – cela représente près de six mois avant la prochaine coupe, pensez aux économies réalisées !

657 SÉCHEZ

Investissez dans un sèche-cheveux de qualité car cela rendra d'autres investissements moins nécessaires, notamment les ustensiles tels que fer à lisser et à friser. Un bon sèche-cheveux permet de réaliser presque toutes les coiffures.

658 BAISSEZ LE MENTON

Pendant qu'il réalise la coupe au carré économique que vous avez demandée, votre coiffeur doit vous demander de baisser la tête, le menton sur la poitrine, pour couper tous les petits cheveux dans la nuque. S'il ne le fait pas, demandez-le lui car cela rend la coupe plus facile à porter et lui permet de garder sa forme plus longtemps.

659 COUPEZ MOUILLÉ

Il est moins onéreux de sortir de chez le coiffeur les cheveux mouillés que de les faire sécher et coiffer. N'optez pour cette méthode que si vous avez une coupe simple, car vous ne pourrez pas voir le résultat final.

660 CHOISISSEZ LA QUALITÉ

Allez dans un bon salon, demandez un coiffeur expérimenté et choisissez une coupe simple. Expliquez au coiffeur que vous souhaitez quelque chose qui demande peu d'entretien pour raisons financières. Demandez-lui une coupe facile à coiffer qui n'implique pas de revenir trop souvent et il tiendra compte de vos souhaits.

LOISIRS ET LUXE

Luxe moins cher

661 FAITES-VOUS LIVRER LES DVD

La location de DVD par correspondance est un bon moyen de se distraire chez soi. Il suffit de s'inscrire auprès d'un prestataire et de faire la liste des DVD que vous souhaitez louer. Ceux-ci vous sont ensuite envoyés et, lorsque vous en avez fini avec un, il vous suffit de le renvoyer dans l'enveloppe déjà affranchie pour en recevoir un autre. Vous évitez les pénalités de retard, les files d'attente et, surtout, vous économisez.

662 CHANGEZ DE LOOK

Beaucoup d'entreprises de cosmétiques ou leurs stands dans les grands magasins proposent des transformations beauté. Il s'agit d'un service payant, mais qui donne parfois droit à des bons d'achat. Trouvez le bon endroit, puis attendez d'avoir fini vos produits de maquillage pour prendre rendez-vous. Votre transformation beauté vous permettra ainsi d'acheter de nouveaux produits et, du coup, ne vous coûtera quasiment rien.

663 FAITES-VOUS LIVRER

Tout peut se faire livrer chez soi grâce à Internet. Comparez les prix, vérifiez les frais de port et réfléchissez à ce qu'il est plus pratique de commander en ligne.

664 OFFREZ-VOUS UN MASSAGE

Il n'est pas nécessaire de passer une journée entière dans un établissement thermal pour se faire plaisir avec un massage. Trouvez un thérapeute à domicile, cela vous reviendra bien moins cher que d'aller dans un salon de beauté. Vous pouvez aussi vous proposer comme cobaye au centre de formation en esthétique le plus proche de chez vous.

665 EMBALLEZ AVEC CLASSE

Pour donner une apparence luxueuse à vos paquets-cadeaux, achetez du papier de soie (en vrac) et plusieurs rouleaux de cellophane (auprès de votre fleuriste ou de votre stand de fleurs). Emballez l'objet sans serrer dans du papier de soie, puis parsemez le paquet de pétales de fleurs, de feuilles ou d'autres petits objets avant d'entourer le tout de cellophane et de nouer avec un ruban.

666 FAITES-VOUS FAIRE LES ONGLES DANS LES SALONS SPÉCIALISÉS

Les manucures sont meilleur marché dans les salons spécialisés que dans les salons de beauté, et aussi plus rapides – mais moins relaxant. Limitez vos visites au salon de beauté à une ou deux par an et le reste du temps, faites un tour au salon spécialisé pour garder de beaux ongles.

667 BICHONNEZ VOS ANIMAUX

Si vous avez l'habitude de faire toiletter votre chien par un professionnel, essayez de le faire vous-même. On trouve des programmes de formation à domicile ou des cours qui vous feront économiser beaucoup. Quant aux biscuits de luxe pour toutous gourmets, colliers en strass et séances d'acupuncture pour chats boudeurs, vous savez bien que vous pouvez aussi les limiter.

668 DÉCLAREZ MALIN

Pour faire votre déclaration d'impôts, faites appel aux services d'un professionnel, ou au moins à ses conseils. Cela finira forcément par porter ses fruits à long terme.

669 PENSEZ PETIT

Même si vous devez réduire vos achats de produits de luxe pour équilibrer votre budget, vous ne devez pas forcément y renoncer complètement. Faites preuve de créativité et cherchez comment introduire un peu de luxe dans votre vie : vous éviterez de craquer pour un pull en cachemire, mais vous vous laisserez tenter par des gants, par exemple.

670 FAITES-VOUS CONSEILLER

Si vous êtes de ceux qui pensent que les stylistes ne travaillent que pour les stars, revoyez votre jugement. Quelques grands rayons d'enseignes moins cotées proposent un service de conseil en style. Il suffit de prendre un rendez-vous en ligne ou par téléphone. C'est un bon moyen de se faire chouchouter en faisant ses courses, sans compter que c'est le plus souvent gratuit.

671 RÉSERVEZ UN FORFAIT

Les établissements thermaux et les stations thermales font souvent des offres spéciales en semaine, alors si vous pouvez prendre un mardi ou un mercredi (de préférence avec un ami ou votre partenaire pour partager une chambre si vous passez la nuit), cela vous reviendra certainement beaucoup moins cher qu'un week-end.

672 LISEZ LES JOURNAUX

Beaucoup de journaux et de magazines proposent des bons pour des offres spéciales dans certains magasins ou restaurants. Les offres concernent souvent des repas en milieu de semaine, ce qui implique néanmoins de s'organiser à l'avance.

673 PARFUMEZ-VOUS DE LUXE

Si les marques de créateurs sont hors de portée en ce qui concerne les vêtements et les sacs, pensez aux parfums de créateurs, cela vous donnera une petite impression de luxe sans devoir payer le prix d'un article de haute couture. Presque toutes les grandes marques ont une ligne de parfums.

674 PRENEZ LE THÉ

L'un des meilleurs moyens d'éprouver le sentiment d'être chouchouté dans un grand restaurant sans en payer le prix consiste à s'y rendre à l'heure du thé : le goûter y est souvent assez copieux pour vous permettre de sauter le repas précédent.

675 ENTREZ AU CLUB

Cherchez en ligne les clubs qui organisent des ventes privées de vêtements de créateurs, généralement en fin de saison. Les prix y sont parfois réduits jusqu'à 80 % du prix de départ et on peut souvent y faire des affaires exceptionnelles.

676 OFFREZ-VOUS UN SOIN GRATUIT

Vous n'êtes pas obligé de payer le prix fort pour vous offrir un soin relaxant du visage. Demandez au centre de formation en esthétique le plus proche, les prix y sont souvent beaucoup plus bas que ceux des instituts de beauté. Et ne vous inquiétez pas à l'idée de jouer les cobayes, vous serez sans doute prise en main par un étudiant de dernière année presque diplômé.

677 ENCHÉRISSEZ

Les ventes aux enchères en ligne sont un excellent moyen d'acheter des bijoux et des tissus d'ameublement, ou encore des vêtements de créateurs. Avant de faire vos achats, assurez-vous d'avoir la liste de ce que vous cherchez pour ne pas vous laisser emporter.

678 DEMANDEZ DES CADEAUX

Si vous surveillez vos dépenses, vous avez certainement rayé certains articles de toilette luxueux de votre liste de courses, mais vous pouvez les ajouter à votre liste de cadeaux pour en profiter quand même de temps en temps.

679 VOYAGEZ EN PREMIÈRE

Si vous en avez la possibilité, essayez toujours de réserver vos billets de train sur Internet la veille de votre départ. Régulièrement, les places de première classe invendues sont proposées à des prix cassés. Vous pourrez ainsi vous offrir le luxe de voyager en première en payant à peine quelques dollars de plus que si vous aviez voyagé en seconde.

Recevoir à dîner

680 SUBSTITUEZ

Pour un dîner de rêve qui ne coûte pas les yeux de la tête, utilisez des substituts : Arënkha (perles de hareng fumé à l'encre de seiche, au jus de citron et aux épices) au lieu de caviar, truite fumée au lieu de saumon, huile de truffe au lieu de truffes et côte de bœuf au lieu de filet.

681 PARTAGEZ LES FRAIS

Demandez à vos amis d'apporter chacun un plat. C'est un bon moyen de répartir les frais et aussi de passer moins de temps dans la cuisine.

682 SERVEZ UNE GARNITURE

Les céréales comme le couscous, l'orge ou le riz font de délicieuses garnitures très bon marché. Ne vous contentez pas de les cuire à l'eau, faites preuve d'imagination et ajoutez une sauce épicée ou un bouillon, ou encore faites-les mijoter avec des petits légumes ou toute autre garniture de votre choix.

683 SAVOUREZ L'ORIENT

Cuisiner selon les traditions végétariennes ou semi-végétariennes indiennes, thaïlandaises ou japonaises ouvre d'innombrables possibilités de plats sans viande à petit prix. Concentrez-vous sur un plat central à base de haricots ou de nouilles et accompagnez-le d'autres recettes végétariennes simples et colorées.

684 BULLEZ ESPAGNOL

Au lieu de champagne, proposez un cocktail au cava (vin mousseux catalan) à votre soirée. Le kir est une excellente solution, mais vous pouvez aussi mélanger plusieurs jus de fruits. Essayez des saveurs peu connues comme certaines variétés d'oranges ou la grenade pour varier les goûts.

685 ESSAYEZ LE BARBECUE

Un barbecue est une manière agréable, facile et pas chère de recevoir. Hamburgers, saucisses ou brochettes sont autant de plats bon marché et rapides à faire. Par ailleurs, l'ambiance décontractée et l'extérieur rendent inutiles toute décoration ou vaisselle précieuse.

686 METTEZ SUR LA TABLE

Au lieu de servir des portions individuelles, adoptez le style familial et laissez les invités se servir eux-mêmes dans de grands plats. C'est plus rentable et cela donne l'impression que currys et ragoûts ont été cuisinés par plaisir et non pour faire des économies.

687 MISEZ SUR LE DESSERT

Si un bon dessert est la clé d'un repas réussi, il ne doit pas pour autant être cher. La mousse au chocolat est un bon choix car, bien que composée d'œufs et de chocolat de qualité, deux ingrédients un peu onéreux, elle est si riche qu'il n'est pas nécessaire d'en faire beaucoup. Ou alors, optez pour des crumbles ou des tartes aux fruits accompagnés de glace et de crème chantilly.

688 UNIFIEZ LES COCKTAILS

Au lieu d'acheter plusieurs bouteilles de vin, bière et alcools différents, limitez-vous à un seul choix ou, pour dépenser encore moins, à un seul cocktail. Cela vous permettra d'acheter les ingrédients en gros plutôt qu'un peu de chaque.

689 APPORTEZ UNE BOUTEILLE

Préparez quelques bases de cocktail bon marché telles que sirop de menthe ou jus de fruits et demandez à vos invités d'apporter l'alcool de leur choix pour l'apéritif, ou achetez l'alcool et demandez-leur d'apporter les bases.

690 CHOISISSEZ LES MORCEAUX

Donner un repas est l'occasion parfaite de cuisiner un morceau de viande moins cher. La viande requiert un peu plus d'attention et une cuisson plus longue, mais les bas morceaux sont parfaits pour les plats en cocotte et les ragoûts qui peuvent de surcroît être préparés la veille pour laisser les saveurs se développer. Vous cuisinerez pour moins cher et aurez moins de travail le soir même.

691 PLANTEZ LE DÉCOR

Au lieu de dépenser en fleurs pour décorer la table, placez-y l'une de vos plantes ou faites des fleurs en papier de soie. Vous pouvez également préparer un pot-pourri avec de pommes de pin, des feuilles mortes ou des branches.

692 SECOUEZ LES GOÛTS

Pour éveiller la curiosité de vos invités, proposez-leur en guise de digestif du gin parfumé avec des fruits. Les fruits aigres donnent de bons résultats, notamment les cerises, mais achetez-les en saison, lorsqu'elles sont moins chères. Les fruits peuvent rester des mois dans la bouteille pour permettre à l'arôme de se développer.

693 DIGÉREZ MAISON

Faites votre propre digestif au café en mélangeant lait et crème en quantités égales avec un filet de liqueur de café et de whisky. Cette recette sera plus économique que d'acheter des bouteilles que vous ne boirez pas et, comme vous ne faites que les quantités dont vous avez besoin, rien ne se perd.

694 MANGEZ DE LA SOUPE

La soupe est un excellent choix d'entrée bon marché, mais rien ne vous oblige à la servir dans des bols. Choisissez des tasses ou des verres aux reflets changeants pour donner plus de charme, surtout si la soupe est de couleur vive.

695 RAMASSEZ À LA CUILLÈRE

Au lieu de dépenser des sommes astronomiques en amuse-gueules, misez sur l'originalité en servant vos canapés sur des plateaux en bois. Vous pouvez aussi les placer chacun sur de jolies cuillères à soupe que vos invités garderont pour déguster la suite.

696 SOCIALISEZ

Plutôt qu'un repas assis à table, pourquoi ne pas servir un buffet ou des tapas ? Ce sont des plats bon marché idéaux car ils utilisent beaucoup d'ingrédients bon marché tels que pois chiches ou les pommes de terre. Vous pourrez miser sur l'abondance sans pour autant vous ruiner. Par ailleurs, ces recettes ont l'avantage de se préparer à l'avance.

697 CUISINEZ DE SAISON

Le meilleur moyen de donner un dîner sans trop dépenser est de choisir des ingrédients de saison. L'hiver est le meilleur moment de l'année pour les plats en sauce, et l'été pour les salades. Vos repas vous coûteront moins cher si vous y faites attention.

Restaurants et bars

698 PROFITEZ DES REPAS

Il est parfois difficile de trouver une offre avantageuse dans les restaurants réputés, mais il arrive que ces derniers aient encore de la place à une heure inhabituelle, ce qui peut convenir parfaitement à certaines occasions. Par ailleurs, de nombreux grands restaurants proposent des menus moins chers à midi. Vous pouvez aussi chercher sur des sites Internet, qui font l'inventaire des offres spéciales de repas fins dans le monde entier.

699 PETIT-DÉJEUNER DEHORS

Si vous n'arrivez pas à perdre l'habitude de manger dehors, choisissez plutôt le petit-déjeuner que le repas de midi ou du soir. En effet, les petits-déjeuners sont bien moins chers que les autres repas et c'est l'occasion de faire le plein d'énergie pour toute la journée.

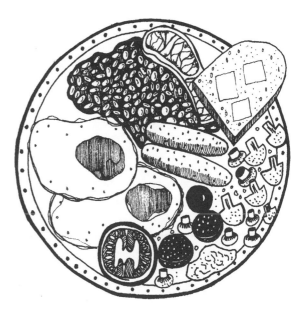

700 ATTENDEZ LES 5 À 7

Apprendre à connaître les bars et les restaurants qui proposent des 5 à 7 : les boissons sont à moitié prix à certaines heures et des amuse-gueules sont proposés.

701 DEUX SANS TROIS

Lorsque vous mangez dehors, fixez-vous comme règle de ne pas prendre plus de deux plats. Au besoin, vous pouvez grignoter quelque chose sur le chemin en rentrant du travail ou avant de sortir pour ne pas avoir trop faim et apprécier deux plats seulement.

702 VÉRIFIEZ EN LIGNE

Internet est une source idéale pour trouver des endroits où manger. De nombreux sites offrent des bons de réduction ou des offres de repas. Pensez à imprimer le bon et à l'emmener avec vous pour être sûr que le restaurant vous fasse bénéficier de ce à quoi vous avez droit et vérifiez les conditions exactes au début du repas.

156

703 REPÉREZ LE MAÎTRE D'HÔTEL

Si vous allez souvent au même restaurant, faites-vous connaître du maître d'hôtel. Son métier consiste à attribuer les tables aux clients et il en garde souvent quelques-unes de côté pour les clients réguliers de dernière minute. Par ailleurs, si vous le mettez en confiance, il vous informera des offres spéciales et des entrées qui valent la peine.

704 MANGEZ DEHORS ET DEDANS

Manger à l'extérieur coûte normalement deux à trois fois plus cher que de préparer ses repas chez soi. Fixez-vous un plafond de dépenses correspondant à votre budget mensuel et essayez de répartir vos repas à l'extérieur sur tout le mois pour ne pas vous fatiguer trop vite de toujours rester à la maison.

705 CONSOMMEZ AVEC MODÉRATION

Le prix de l'alcool est fortement majoré et les boissons constituent souvent l'essentiel de l'addition. Si vous tenez à boire, la meilleure solution consiste à partager une bouteille du vin maison ou à choisir de la bière.

706 FAITES LE PLEIN DE GRATUITS

Choisissez un restaurant qui offre des amuse-gueules avant le repas. Pain, olives et autres vous rempliront l'estomac et vous dissuaderont de commander un second plat, ce qui vous fera faire des économies.

707 CLIQUEZ AVANT DE SORTIR

Avant de partir dîner, pensez à regarder le site Internet du restaurant. En effet, les restaurants proposent parfois leurs propres réductions, réservées aux clients internautes. Inscrivez-vous aux bulletins d'information de vos établissements préférés pour être au courant des offres spéciales.

708 RESTEZ SIMPLE

Les plats les plus simples du menu sont souvent les moins chers, ce sont donc ceux qu'il faut choisir si vous tenez à ne pas dépasser votre budget. Mais si vous vous sentez obligé de commander des plats que vous n'aimez pas spécialement parce que ce sont les seuls que vous pouvez vous permettre, mieux vaut peut-être rester à la maison.

709 EMMENEZ LES RESTES

Au lieu de laisser les restes, emportez-les pour un prochain repas. Si vous n'osez pas demander un « doggy bag », prenez un plat de plastique. Après tout, vous n'auriez jamais l'idée de laisser la moitié de ce que vous avez acheté et payé dans un magasin, alors pourquoi le faire au restaurant ?

710 N'ATTENDEZ PAS LE WEEK-END

Beaucoup de restaurants font des offres spéciales en semaine pour remplir leurs salles. Or, la plupart des gens mangent plutôt dehors pendant le week-end et n'en profitent pas. Repérez les restaurants de votre quartier qui proposent ce type d'offres – mais évitez le jour du congé du chef, souvent le lundi.

711 FÊTEZ VOTRE ANNIVERSAIRE

Manger à l'extérieur pour son anniversaire est un excellent moyen de faire des économies, à condition d'informer le restaurant avant. Beaucoup offrent un dessert gratuit, une boisson, ou même un repas, assurez-vous que c'est le cas et prévenez-les.

712 GARDEZ VOS CARTES EN MAIN

Beaucoup de restaurants et de cafés proposent des cartes de fidélité ou des bons cadeaux, mais combien de fois les avez-vous oubliés ? Conservez toutes vos cartes ensemble dans une poche de votre portefeuille facilement visible pour les avoir sous les yeux.

713 PARTAGEZ LES FRAIS

Pour diminuer la note au restaurant, freinez votre consommation d'alcool. Cela peut poser problème si vous partagez avec des amis qui boivent avec moins de modération. Au début du repas, demandez deux additions, l'une pour la nourriture et l'autre pour l'alcool. De cette manière ceux qui ne boivent pas n'auront pas à supporter les coûts pour les autres.

714 OCCUPEZ-VOUS DES BOISSONS

Lorsque vous faites appel à un traiteur, n'hésitez pas à vous charger des boissons. Attention toutefois, car le traiteur peut alors vous faire payer le droit de bouchon, une taxe sur le nombre de bouteilles qu'il n'aura pas pris en charge.

715 MANGEZ AVANT DE SORTIR

Avant de sortir le soir, assurez-vous d'avoir bien mangé. Non seulement c'est raisonnable, mais en plus vous serez moins tenté de commander à manger au prix fort dans la soirée.

717 EMMENEZ VOTRE REPAS

Beaucoup de cinémas tirent l'essentiel de leur profit de la vente de nourriture. Si cela n'est pas interdit, rien ne vous empêche cependant d'emmener vos boissons et sucreries.

Théâtre, concert et cinéma

716 ADMIREZ LA VUE

Pour assister à des concerts, événements sportifs et autres spectacles sans payer l'entrée, pourquoi ne pas vous porter volontaire pour un petit travail ? Les placiers ont souvent accès au spectacle gratuitement en échange d'un salaire minime et d'une ou deux heures de travail. Renseignez-vous autour de vous.

718 SORTEZ TÔT

Pour ne pas payer le cinéma au tarif plein, essayez les séances du matin ou de l'après-midi, qui sont parfois beaucoup moins chères. Vous pouvez aussi chercher des projections gratuites dans les salles paroissiales ou autres lieux de réunion.

719 RÉSERVEZ DIRECTEMENT

Pour réserver un ticket, il est plus avantageux de s'adresser directement au lieu de la représentation, les salles proposent souvent des tickets à prix réduits, même en avance. Essayez cette méthode systématiquement, même si vous êtes redirigé vers un système de réservation, c'est presque toujours moins cher d'éviter les intermédiaires.

720 ALLEZ-Y EN PERSONNE

Pour réserver des tickets, allez en personne au guichet : le personnel prendra plus de temps à chercher les possibilités les moins chères en votre présence et vous pourrez peut-être négocier un prix réduit, sans compter que vous économiserez les frais de port. Vous ne pourrez qu'y gagner.

721 VOYAGEZ GRATUITEMENT

Lors de certaines grandes manifestations sportives, des navettes sont spécialement affrétées pour les spectateurs afin de limiter les embouteillages et les risques d'accidents. Profitez-en pour vous rendre à votre match sans dépenser un sous.

722 VÉRIFIEZ LE SITE INTERNET

Avant de réserver des places de théâtre en ligne sur le site Internet de l'établissement, prenez quelques minutes pour vous assurer que vous êtes bien sur le site officiel du théâtre. Depuis quelques années en effet, des entrepreneurs sans scrupule réalisent des copies presque parfaites des sites des théâtres pour abuser les gens.

723 JOUEZ LE CINÉPHILE

Si vous surveillez votre budget et que vous regrettez de ne pas pouvoir aller au cinéma plus souvent, pensez à investir dans une carte d'adhésion. Cette dernière, pour une somme fixe prélevée chaque mois sur votre compte, vous permet de voir autant de séances que vous le souhaitez par mois.

724 NE DITES PAS « OFFRE SPÉCIALE »

Si vous bénéficiez d'une offre spéciale pour un spectacle, pensez à ne pas le mentionner tout de suite lorsque vous appelez pour réserver. Choisissez votre place avant d'annoncer l'offre dont vous bénéficiez. De cette manière, vous serez sûr que personne n'essaiera d'écouler les places moins chères et moins bonnes à votre détriment.

725 ATTENDEZ LE JOUR MÊME

Les théâtres gardent souvent quelques places jusqu'au dernier moment et les vendent le matin du spectacle. Le prix en est souvent réduit et, si cela ne vous dérange pas de vous lever tôt et de faire la queue en attendant que le guichet ouvre, cela peut être une excellente solution pour aller au théâtre moins cher. Gardez néanmoins en tête que vous pouvez ne pas avoir de chance si beaucoup d'autres ont eu la même idée que vous. Pensez toujours à prévoir un plan de rechange pour la soirée s'il n'y a plus assez de places disponibles.

726 GUETTEZ LES RÉDUCTIONS

La plupart des théâtres et des cinémas accordent des tarifs réduits aux retraités, aux étudiants et aux personnes handicapées. Si vous êtes concerné, n'oubliez pas d'emporter avec vous la carte faisant valoir vos droits.

Cadeaux achetés

727 STOCKEZ LES CADEAUX

Dressez la liste des personnes auxquelles vous devez faire un cadeau chaque mois et pensez à vérifier vos stocks de temps en temps pour être sûr que les denrées périssables comme les chocolats ne sont pas périmés. Cela ne sert à rien d'acheter un grand nombre de cadeaux potentiels si vous ne les donnez à personne et qu'ils finissent à la poubelle. Le mieux reste de ne pas cacher ces cadeaux trop loin.

728 FAITES VOS PROVISIONS EN JANVIER

Janvier est le mois idéal pour acheter des cadeaux car les magasins et les supermarchés soldent souvent leurs articles de Noël. Évitez tout ce qui rappelle trop Noël (à moins de le garder pendant un an) et choisir des cadeaux standard que vous pourrez offrir toute l'année.

729 METTEZ EN BOÎTE

Créez votre papier d'emballage à moindres frais avec du papier kraft orné de motifs au tampon. Faites vos propres tampons à partir de vieilles éponges ou de pommes de terre et appliquez-les sur tout le papier pour des paquets personnalisés et bon marché.

730 ACHETEZ D'OCCASION

Les enfants ne se soucient pas de savoir si les cadeaux que vous leur faites sont neufs ou pas. Si les adultes n'apprécient pas toujours un cadeau déjà utilisé, profitez de ce que les enfants n'y pensent pas pour acheter des jouets d'occasion tant qu'ils sont encore jeunes, notamment pour mettre dans leurs bas sous l'arbre de Noël ou pour organiser des loteries pendant les fêtes.

731 IMPRIMEZ VOS CARTES

Faire ses propres cartes de vœux est un bon moyen d'économiser. Faites un collage de photos ou créez un motif sur ordinateur. Achetez des cartes et enveloppes de couleur en gros pour faire encore plus d'économies.

732 ENVOYEZ MOINS CHER

Avant de payer pour un service de livraison rapide, posez-vous la question de savoir s'il est vraiment nécessaire que le colis arrive un jour plus tôt. Pensez plutôt à vous y prendre à l'avance pour envoyer cadeaux, courrier et autre cadeau par la poste.

733 STOCKEZ LE PETIT MATÉRIEL

Si vous avez des enfants, vous pouvez vous attendre à devoir trouver des cadeaux au pied levé, toutes les fois que c'est l'anniversaire d'un camarade de classe. Si possible, achetez en gros de petits objets tels que perles et fils dont vous pourrez faire des colliers ou des kits individuels. Procédez de même avec des articles de travaux manuels tels que crayons, gommettes autocollantes et papier de couleur.

734 DÉVALISEZ LES BONNES ŒUVRES

Fouillez les magasins d'occasion des associations caritatives de votre quartier à la recherche de tissus intéressants, bijoux fantaisie et autres articles amusants. Cherchez les vêtements ornés de perles, sequins et boutons susceptibles d'être décoratifs.

735 PERSONNALISEZ LE CADEAU PARFAIT

Pour les membres de la famille les plus âgés, l'un des meilleurs choix de cadeau est aussi l'idée la plus simple du monde : une photo d'un être aimé. Vous pouvez la personnaliser en décorant vous-même un cadre ordinaire avec des coquillages, des boutons ou des perles.

736 PARTEZ EN REPORTAGE

Au lieu de dépenser de l'argent en papier-cadeaux, utilisez du papier-journal et achetez un gros rouleau de ruban ordinaire avec lequel faire un nœud en haut du paquet pour faire un paquet original.

737 RECYCLEZ LES CARTES

Si vous recevez une carte qui vous plaît, ne la jetez pas. Gardez-la pour en faire des copies et l'envoyer à d'autres. Pensez simplement à ne pas en renvoyer un exemplaire à la personne qui vous a envoyé l'original !

738 CACHEZ VOS CADEAUX

Réservez un tiroir aux cadeaux. Remplissez-le d'offres « deux pour le prix d'un » et d'articles en solde. Cela vous évitera de devoir acheter des cadeaux plus chers parce que vous vous y prenez à la dernière minute.

739 NE PAYEZ PAS VOS CADEAUX

Il existe de très nombreux sites Internet sur lesquels vous pouvez vous inscrire pour recevoir de petits cadeaux gratuits. L'astuce consiste à garder ces objets comme futurs cadeaux pour toujours avoir quelque chose à offrir sans dépenser un cent. De même, gardez les échantillons ou les pochettes cadeaux donnés en prime avec des achats de cosmétiques ou d'autres produits.

740 RE-OFFREZ

Si vous recevez un cadeau qui ne vous plaît pas ou dont vous n'avez pas l'usage, n'hésitez pas à le recycler. Offrez-le à quelqu'un d'autre pour faire des économies. Tout le monde n'a pas les mêmes goûts et d'autres peuvent apprécier ce qui ne vous plaît pas à vous.

741 GARDEZ LA MAIN FERMÉE

Si vous avez un tiroir à cadeaux, n'oubliez pas son but premier : faire des économies sur des cadeaux que vous devrez faire, pas faire des petits cadeaux à tout bout de champ. En bref, n'offrez pas les cadeaux que vous n'auriez de toute façon pas offerts.

742 COLOREZ

Pour rendre attrayants de petits cadeaux, rien ne vaut le papier de soie. Investissez dans un lot de différentes couleurs que vous pourrez utiliser toute l'année pour emballer des cadeaux, garnir le fond de paniers et bricoler.

743 CAPITALISEZ

Pourquoi ne pas décider de réserver à des cadeaux les points accumulés grâce à vos cartes de fidélité ? Votre tiroir à cadeaux sera plein plus vite que vous ne le pensez.

Cadeaux maison et paniers garnis

744 FAITES VOS CARTES

Au lieu d'acheter des cartes pour accompagner vos cadeaux, redécoupez d'anciennes cartes de Noël ou d'anniversaire, ou en découpez les motifs, écrivez au dos le nom du destinataire et attachez-le au cadeau avec un ruban.

745 METTEZ LES CARTES EN BOÎTE

Gardez dans une boîte ou un tiroir tout ce qui peut servir à faire vos propres cartes de vœux : tissu, paillettes, papier-cadeau et rubans (récupérés sur d'autres cadeaux), photos, images de magazines et de journaux ou tout ce qui pourra contribuer à vos créations.

746 PRESSEZ DES FLEURS

Les fleurs pressées et séchées font de très belles décorations de cartes et de cadeaux. Cueillez-les en saison et pressez-les sous une pile de livres entre des feuilles de papier de soie ou de papier absorbant : en quelques mois, vous obtiendrez de jolies décorations.

747 OFFREZ DU FAIT MAISON

Chocolats, confitures, gâteaux et biscuits maison font d'excellents cadeaux s'ils sont bien emballés. Pour les chocolats, choisissez de petits sachets d'organza tels qu'on en trouve en ligne pour quelques sous, des boîtes en kits et du papier de soie pour les plus gros gâteaux.

748 OSEZ L'ART

Les dessins d'enfants peuvent faire de superbes cadeaux. Scannez par exemple plusieurs « œuvres » et faites-en un calendrier ou un bloc-notes orné d'un motif différent à chaque page. Il existe aujourd'hui des logiciels qui rendent ce type de cadeau accessible à tous.

749 VITRIFIEZ

Achetez de la peinture sur verre et quelques verres ordinaires chez un soldeur ou au supermarché, puis faites preuve d'imagination. L'idée peut être reprise pour des saladiers et plats en verre, ou même des miroirs.

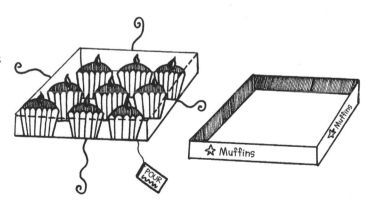

750 GÂTEZ LES AMATEURS DE CHOCOLAT

Pourquoi ne pas offrir un panier garni à un amoureux du chocolat, pour un cadeau bon marché mais attentionné ? Mettez du chocolat en poudre dans des sachets, enveloppez quelques barres chocolatées (à acheter en promotion) et une tasse bon marché dans du papier de soie et de la cellophane.

751 BOUTUREZ

Cette idée de cadeau prend un peu de temps à réaliser mais fera le bonheur de tous les amateurs de jardinage. Faites des boutures de vos plantes préférées et attendez d'avoir de petits plants que vous pourrez repiquer dans de jolis pots pour des cadeaux très personnels. Coupez la tige juste au-dessous d'un nœud de feuille à l'aide de ciseaux ou d'une lame de rasoir stérilisés à l'alcool – un nœud et une ou deux feuilles suffisent.

752 SERVEZ

Pourquoi ne pas offrir à quelqu'un une journée à son service ? Fixez librement quelques règles, mais il n'y a pas de meilleur cadeau pour un ami ou un membre de la famille très occupé qu'une journée (ou demi-journée) de votre temps pour faire ses corvées à sa place. C'est aussi un magnifique présent qui ne coûte rien. De même, vous pouvez offrir un bon : pour un lavage de voiture par les enfants, pour un « repas au choix » par les parents ou pour un massage ou un soin des pieds par un partenaire.

753 SALEZ LE BAIN

Au lieu d'acheter des sels de bains luxueux, faites les vôtres en mélangeant dans un bocal des sels d'Epsom, des pétales de roses séchés et des huiles essentielles. Dans un joli emballage, cela fera un cadeau très luxueux.

754 SUCREZ LE BEC

Les paniers garnis sont un excellent choix de cadeaux bon marché. Optez pour un panier d'épicerie avec de la confiture, du pain et des biscuits maison, ou choisissez un thème plus personnalisé en faisant preuve du plus d'imagination possible.

755 PLAISEZ AUX ENFANTS

Pour faire un cadeau à votre enfant, cherchez quelque chose qui lui plaira sans vous laisser tenter par les jouets en plastique coloré et les jeux électroniques. Un enfant qui s'intéresse à la nature, par exemple, sera heureux de recevoir un « panier » personnalisé contenant une loupe, une boîte permettant d'observer les insectes et un nichoir pour le jardin.

756 AIMEZ

Pour la Saint-Valentin, rien de mieux qu'une boîte garnie de cadeaux sexy, de lingerie et d'eau de Cologne. Vous pouvez aussi opter pour une version romantique avec du champagne et une photo encadrée, ajouter bougies parfumées et huile de massage.

757 SOUVENEZ-VOUS

Pour un événement comme un mariage ou un baptême, si vous ne pouvez vous permettre de faire un cadeau trop onéreux, pensez à une « boîte souvenir ». Avec un journal du grand jour, le bouchon du champagne et quelques photos des moments les plus importants, vous ferez un cadeau très attentionné sans rien dépenser.

758 GÂTEZ LES GOURMETS

Pour les amateurs de bonne chère, le panier garni est le cadeau idéal. Choisissez les ingrédients les plus exotiques possible selon les goûts de chacun : piments, épices (différentes sortes en poudre colorées, condiments), huile de truffe et fruits rares et savoureux.

759 CUISINEZ ET CONSERVEZ

Il est plus facile qu'on ne le pense de trouver des produits gratuits. Cueillir des baies sauvages pour en faire des confitures et conserves, qui feront à leur tour un présent attentionné.

760 OFFREZ RELAX

Pourquoi ne pas faire vos propres huiles de bain et les offrir à vos proches ? Utilisez de vieilles bouteilles ou achetez-en à un bon prix, remplissez-les d'une huile ordinaire et ajoutez quelques gouttes d'huile essentielle – lavande pour détendre, agrumes pour revitaliser et rose pour calmer.

761 PENSEZ À MAMAN

Pour la fête des mères, composez un panier ou une caisse avec les produits préférés de votre mère, des bougies parfumées, etc. N'oubliez pas ses passe-temps favoris : paquets de graines ou crème pour les mains si elle aime le jardinage, un nouveau tablier (fait main à votre goût) ou un torchon si elle cuisine, ou plus simplement quelques magazines, un sachet d'huile pour le bain et une savonnette.

762 OFFREZ LE VOYAGE

Le cadeau idéal pour les amis qui se déplacent beaucoup : garder tous les produits gratuits, shampooings, après-shampooings, maquillage et crèmes hydratantes, même les rouges à lèvres offerts par certains magazines et les échantillons des hôtels (tant que la bouteille ne porte pas le nom de l'hôtel) et en faire un panier-beauté de voyage. Vous pouvez aussi acheter de petites bouteilles et boîtes en plastique et les remplir de divers produits.

763 DONNEZ LA RECETTE

Choisissez un cadeau que le destinataire pourra utiliser pour cuisiner quelque chose qu'il aime, notamment s'il s'agit d'un enfant. Disposez dans un bocal des guimauves, des biscuits écrasés, du chocolat, des cerises et des fruits secs aux bonnes proportions et collez une étiquette indiquant les ingrédients supplémentaires à acheter et comment confectionner ses propres barres chocolatées originales et raffinées. Faites de même pour des gâteaux, des biscuits et toute autre recette que vous souhaitez offrir.

Musique et films

764 REGARDEZ L'ORDINATEUR

Pas besoin d'une télévision et d'un lecteur de DVD pour regarder des films. Si votre ordinateur portable est équipé d'un lecteur CD/DVD, vous pouvez l'utiliser à cet effet. La plupart des écrans d'ordinateurs ont la même qualité graphique que les téléviseurs.

765 ÉCOUTEZ EN LIGNE

Au lieu d'investir des sommes importantes dans un équipement stéréo, écoutez votre musique sur votre ordinateur. La plupart des ordinateurs sont équipés de haut-parleurs de qualité suffisante et, si vous êtes mélomane, des haut-parleurs à connecter à l'ordinateur restent moins chers que tout un matériel haut de gamme.

766 TÉLÉCHARGEZ

Si vous ne le faites pas encore, il est temps de commencer à acheter votre musique en ligne et de la télécharger avec un logiciel à cet effet. Les albums coûtent moins cher que ceux du commerce et vous n'aurez plus le problème du rangement.

767 ÉCHANGEZ LES CD

Au lieu de dépenser pour de nouveaux CD, pourquoi ne pas échanger vos anciens CD contre un bon d'achat chez votre disquaire la prochaine fois que vous voudrez acheter un nouvel album ? Vous pourrez ainsi continuer à renouveler votre collection sans avoir à dépenser trop d'argent.

768 GROUPEZ-VOUS

Louez un DVD en groupe, puis faites passer le disque afin que chacun puisse le regarder pendant la durée de la location. Veillez cependant à ne pas le rendre en retard, les pénalités annuleraient les économies réalisées. Instaurez un roulement pour que la dernière place ne revienne pas toujours au même.

769 TÉLÉCHARGEZ EN RÈGLE

Si vous aimez la musique et que vous souhaitez faire des découvertes, pensez à vous rendre sur les nombreux sites Internet qui permettent d'écouter de la musique en ligne. Vous serez à la page sur les nouveautés et pourrez parfaire votre culture musicale.

770 PENSEZ À LA BIBLIOTHÈQUE

La bibliothèque du quartier ne prête pas que des livres et des magazines, c'est aussi l'endroit idéal où emprunter des films et des CD, notamment des grands classiques. Vous pouvez ensuite les regarder ou les écouter gratuitement, à condition de les rendre à temps pour ne pas avoir à payer d'amende.

771 PARTAGEZ VOTRE MUSIQUE

Échangez vos CD avec vos amis. Entendez-vous pour en échanger quatre ou cinq par mois et instaurez un système de rotation pour disposer chaque mois d'une nouvelle collection à écouter.

772 ESSAYEZ AVANT D'ACHETER

Choisissez un service d'abonnement musical en ligne qui vous permette de tester la musique qui vous intéresse. De cette manière, vous n'achèterez que les morceaux et albums qui vous plaisent et vous ne dépensez rien pour de la musique que vous n'écouterez pas.

773 VENDEZ VOS VIEUX CD, DVD ET JEUX

Votre loueur de DVD rachète ou reprend peut-être vos vieux DVD, surtout si ce sont des films à succès. De même, les disquaires et magasins de jeux reprendront peut-être vos vieux CD et jeux électroniques en bon état. Sinon, pensez aux sites de vente aux enchères en ligne, ou aux annonces dans le journal local pour vendre les jeux, films et CD qui ne vous intéressent plus.

Livres, journaux et magazines

774 ABONNEZ-VOUS

Vous abonner est le meilleur moyen de faire des économies si vous achetez régulièrement un magazine. Assurez-vous que vous profitez de toutes les offres spéciales, par exemple le premier numéro gratuit, et marchandez pour essayer d'économiser encore plus.

775 PARTAGEZ

Vos amis achètent et lisent certainement les mêmes magazines et livres que vous. Pourquoi ne pas décider d'en acheter chacun un et de le faire passer aux autres chaque mois ? Changez l'ordre tous les trois mois pour ne pas toujours lire le même journal en premier.

776 ATTENDEZ

Ne vous laissez pas tenter par un renouvellement immédiat lorsque votre abonnement à un magazine arrive à expiration. Attendez la dernière minute et vous pourrez certainement bénéficier d'une meilleure offre pour rester abonné.

777 ALLEZ EN LIGNE

Après quelques semaines, beaucoup de journaux mettent leurs articles en ligne. Le grand avantage, c'est que vous pouvez chercher par mot-clé et mettre la page en signet, ce qui est plus facile que de s'y retrouver dans une pile d'articles découpés.

778 OSEZ LES PRIX RÉDUITS

Certaines entreprises proposent des abonnements à des journaux à taux réduits et souvent très inférieurs (parfois de moitié) au prix de l'abonnement direct chez l'éditeur. Cherchez toujours une réduction avant de vous abonner à un journal.

779 UTILISEZ LA BIBLIOTHÈQUE

Si vous essayez de faire des économies, la bibliothèque publique pourrait devenir votre second domicile. Outre les livres que vous n'aurez plus besoin d'acheter, vous y trouverez généralement de nombreux journaux et magazines. Si celui que vous voulez n'en fait pas partie, pourquoi ne pas demander à la bibliothèque de s'y abonner ?

780 OFFREZ UN ABONNEMENT

Pourquoi ne pas demander à vos proches de vous abonner à un magazine ? C'est un cadeau facile à faire qui vous durera toute l'année.

781 RESTEZ UN NOUVEAU CLIENT

Pour profiter des tarifs d'abonnement réservés aux nouveaux clients même si vous êtes déjà abonné, annulez temporairement votre abonnement, puis renouvelez-le au nom de votre conjoint. Ou alors, demandez simplement au journal ou au magazine d'adapter son tarif.

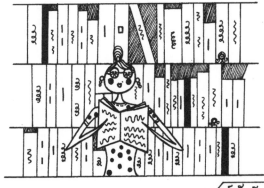

782

RÉFLÉCHISSEZ AVANT D'ACHETER

Avant d'acheter votre magazine habituel, jetez-y un coup d'œil et assurez-vous que cela vaut vraiment la peine de l'acheter. Peut-être constaterez-vous qu'il ne vous intéressera pas longtemps et que c'est une dépense inutile.

783

REVENDEZ

Ne jetez pas les magazines que vous avez fini de lire, surtout si vous êtes abonné et si vous les recevez tôt dans le mois. Attendez deux semaines environ et revendez-les à moitié prix. Ce système fonctionne bien avec les amis et les voisins, si cela ne les gêne pas de lire un magazine quelques semaines après vous et si vous faites attention à conserver les journaux en bon état.

784

LISEZ ET RECYCLEZ

La prochaine fois que vous porterez vos vieux journaux à recycler, regardez dans les piles laissées par d'autres si vous trouvez d'autres journaux qui vous intéressent. Pour plus de sécurité, pensez à retirer vos nom et adresse si vous êtes abonné afin d'éviter que certains ne se servent de votre nom.

785 ABONNEZ-VOUS SUR INTERNET

Si vous n'avez jamais songé à acheter vos journaux et magazines sur les sites Internet de vente aux enchères, c'est l'occasion d'essayer. La section magazines est prospère et les prix sont souvent inférieurs de moitié à ceux indiqués sur la couverture. N'oubliez pas de prendre en compte les frais de port.

786 FAITES-VOUS LIVRER LES JOURNAUX

Les magazines ne sont pas seuls à proposer des abonnements, les journaux quotidiens aussi. C'est un moyen facile d'économiser la moitié de ce que vous dépenseriez en achetant votre journal en kiosque.

787 VOYEZ LOIN

Presque tous les journaux offrent une réduction aux abonnés qui s'engagent pour de longues périodes et, généralement, plus vous vous abonnez pour longtemps, moins cela vous revient cher. Si vous craignez de vous engager pour longtemps, réfléchissez à ce qui risque vraiment de changer dans votre vie. Même si vous déménagez, il y a des chances que vous souhaitiez rester abonné, alors allez-y.

788 BRÛLEZ

Au lieu de jeter vos vieux journaux et magazines, pourquoi ne pas acheter une machine pour les transformer en briquettes avec lesquelles alimenter votre poêle. Cela vous fera économiser du combustible.

Informatique et électronique

789 STOPPEZ LES DÉMONSTRATIONS

Si vous ne souhaitez pas continuer à utiliser un programme, annulez votre inscription à la fin de la période de démonstration. En effet, les vendeurs comptent toujours sur la paresse des clients, qui ont tendance à s'inscrire et à oublier ensuite qu'ils l'ont fait. Les longues démonstrations (30 jours ou plus) sont utiles pour voir quelle utilisation vous ferez ou non d'un produit. Si vous constatez que vous l'utiliserez peu, annulez votre inscription avant que l'argent ne vous soit prélevé.

780 REFUSEZ LES GARANTIES

Votre ordinateur doit être garanti par le constructeur la première année qui suit son achat, il ne sert donc à rien de souscrire à prix d'or une extension de garantie du vendeur. Les entreprises font d'énormes profits avec ce type d'offre, ce qui implique sans doute que cela n'est pas si avantageux qu'on le croit pour les clients.

781 PAREZ À TOUTE ÉVENTUALITÉ

Protégez votre ordinateur avec un antivirus et un pare-feu pour éviter d'éventuelles dépenses de réparation. Essayez de convaincre le vendeur de vous les installer gratuitement, les magasins ont souvent des accords avec les fabricants.

782 RECYCLEZ

Les vieux ordinateurs ne doivent pas être jetés mais recyclés, ce qui coûte normalement de l'argent. Les entreprises de recyclage facturent leurs services et l'enlèvement des appareils, mais cela vaut la peine de demander au fabricant s'il dispose d'un programme de recyclage. Quelle que soit la solution adoptée, effacez le contenu de votre disque dur.

783 FUYEZ LES MAGASINS

Les magasins sont les endroits les plus chers où acheter un logiciel. Mieux vaut chercher sur Internet des sites qui offrent des produits à bas prix, surveiller les offres spéciales et négocier les logiciels qui vous intéressent.

784 ACHETEZ UNE BONNE IMPRIMANTE

Les cartouches pour imprimantes représentent des frais colossaux. Aussi, avant d'acheter une imprimante bon marché, vérifiez le prix des cartouches et la fréquence à laquelle vous devrez les remplacer. Cela vaut la peine de dépenser un peu plus pour une imprimante aux frais de fonctionnement moindres.

785 RECHARGEZ

Faire recharger les cartouches d'encre pour imprimantes revient souvent moins cher que d'en acheter des neuves et beaucoup d'entreprises spécialisées proposent ce service à des tarifs très raisonnables. Essayez de trouver un magasin près de chez vous – ou rechargez vous-mêmes vos cartouches si vous vous en sentez capable.

786 JOUEZ MOINS

Les jeux en ligne sont parfois à l'origine de pertes de temps et d'argent. Surveillez de près vos dépenses et limitez-vous à un nombre de jeux abordable (ou limitez les heures passées à jouer). Tous les mois, gardez l'œil sur votre compte et arrêtez de jouer dès que vous avez atteint votre limite.

787 ACHETEZ D'OCCASION

Si vous ne pouvez pas vous offrir la dernière console de jeux, pensez à l'acheter d'occasion. Beaucoup sont mises à jour régulièrement de sorte qu'on en trouve beaucoup de modèles plus anciens sur le marché. Cherchez les versions précédentes sur des sites de vente en ligne.

788 RÉCUPÉREZ VOTRE ARGENT

Si vous êtes un joueur passionné, essayez de faire de votre passe-temps une occasion de gagner de l'argent. Si par exemple vous aimez *Second Life*, tentez d'y gagner assez pour économiser dans la vraie vie. Si vous y arrivez, cela vous permettra de rembourser vos frais d'inscription, et même d'autres frais.

799 ABANDONNEZ LE MODEM

Si vous êtes abonné à Internet par le câble, vous n'avez pas besoin du modem fourni par la société qui distribue le câble, dont elle vous facture la location. La plupart des magasins vendent des modems câble moins chers et, après un an, vous aurez certainement récupéré les frais de location du premier modem.

800 PENSEZ À L'ANNÉE

Vous pourrez faire des économies en prenant des abonnements pour un an au lieu d'abonnements au mois, à des services que vous utilisez régulièrement et continuerez d'utiliser pendant au moins trois ans. Beaucoup des frais en ligne peuvent ainsi être réduits, parfois de 40 %, cela vaut la peine de chercher un peu.

801 LISEZ ÉLECTRONIQUE

Au lieu d'acheter un livre papier, pensez à l'acquérir en ligne. Une fois que vous vous serez habitué à lire à l'écran (en particulier si vous avez un écran de nouvelle génération), vous pourrez profiter de prix vraiment très réduits.

802 ONDULEZ

Il est prouvé que de brancher les ordinateurs et les appareils électroniques directement au réseau raccourcit leur durée de vie. Outre qu'il assure une protection bienvenue contre les surtensions, un onduleur de bonne qualité vous évitera toute baisse de tension et vos factures de maintenance en baisseront d'autant.

803 METTEZ-VOUS À LA TERRE

Utilisez des tapis antistatiques ou raccordez-vous à la terre. L'électricité statique tue l'électronique, mieux vaut donc être sûr de ne pas user exagérément votre ordinateur sans le savoir. Si vous êtes sujet aux décharges d'électricité statique, faites donc en sorte d'éviter des dommages à votre ordinateur.

804 DÉPOUSSIÉREZ

Un moyen infaillible de rendre votre ordinateur plus efficace et de réduire les futures factures de maintenance est de ne pas laisser la poussière s'y déposer. Veillez à dépoussiérer et essuyer régulièrement le dos et le dessus de votre lecteur de disque dur. Si vous avez la place, utilisez une housse.

805 INVENTORIEZ

Faites une liste de vos abonnements en ligne et du temps passé à utiliser les services correspondants. Si votre dernière session remonte à plusieurs semaines, pensez à vous désabonner.

Voyages et vacances

806 ÉCONOMISEZ À LONG TERME

Mettez de côté 10 à 15 % de vos revenus. Économisez ainsi pendant six mois pour partir en vacances en milieu d'année ou économisez toute l'année pour partir deux fois.

807 NE RESTEZ PAS SEUL

Voyager seul peut revenir cher car beaucoup d'hôtels facturent le même prix aux célibataires qu'aux couples. Heureusement, des agences spécialisées dans les voyages solos commencent à apparaître et proposent des offres spéciales.

808 PRATIQUEZ LE COUCHSURFING

La cyberhospitalité ou *couchsurfing* permet de séjourner à très bas prix chez d'autres gens dans le monde entier. En plus du logement gratuit, c'est souvent l'occasion d'acquérir une connaissance d'un pays qu'aucun guide de voyage ne peut vous donner. Pensez néanmoins à votre sécurité et passez par une organisation ayant pignon sur rue.

809 RESTEZ CHEZ VOUS

Ne vous contentez pas de rester dans votre pays, restez chez vous. Les frais d'un domestique, de repas à l'extérieur tous les soirs et de quelques jours dans le luxe restent souvent moins élevés que ceux d'un voyage lointain.

810 ACHETEZ À L'AVANCE

Le meilleur moyen de partir en vacances à bon prix est d'économiser, mais aussi de réserver à l'avance. Cela implique une certaine organisation, mais les économies réalisées sont parfois énormes. Pour les meilleures offres, réservez un an à l'avance.

811 PARTEZ HORS SAISON

Si la destination choisie reçoit le plus de touristes en été, visitez-la hors de cette période. Cela vous reviendra moins cher et vous ne serez pas dérangé par les autres touristes. Pensez cependant à vérifier certains points comme le climat et la météo pour éviter de découvrir en arrivant que vous tombez en pleine saison des pluies.

812 VÉRIFIEZ LES BONNES AFFAIRES

Si votre agence de voyage vous fait une offre, vous n'êtes pas obligé de dire oui tout de suite. Demandez combien de temps l'offre est valable et vérifiez en ligne si vous ne trouvez pas moins cher ailleurs. Les agences de voyage sont des intermédiaires et doivent elles aussi gagner leur vie, les éviter peut vous faire faire des économies.

813 CALCULEZ HONNÊTEMENT

Prévoyez votre budget de vacances et faites les recherches correspondantes. Pour se faire un budget réaliste, le plus important est d'être honnête : fixez-vous une limite de dépenses journalières et respectez-la.

814 ENFERMEZ VOTRE CARTE

Si vous partez loin, emportez une carte de crédit à utiliser en cas d'urgence, mais veillez à ne l'utiliser que si vous le devez absolument.

815 TESTEZ LES AGENCES

Ne rejetez pas les agences de voyages en bloc, elles sont parfois en mesure de proposer de meilleures affaires en raison des rabais qu'elles obtiennent des prestataires. Pensez à voir ce qu'elles proposent au cas où elles auraient des offres spéciales que vous ne trouverez pas en ligne.

816 PARTEZ EN LIGNE

Pour voyager à la manière des riches et célèbres mais avec un tout petit budget, visitez les sites Internet de vente de voyages aux enchères. On y trouve des voyages lointains et des séjours de luxe à bas prix. Assurez-vous cependant de vous renseigner suffisamment à l'avance et lisez toujours soigneusement toutes les conditions du contrat.

817 CROISEZ EN DERNIÈRE MINUTE

Si vous rêvez d'une croisière et si vous êtes souple sur les dates, attendez la dernière minute pour réserver, les bateaux cherchent souvent à remplir leurs cabines. Enregistrez-vous aux programmes d'alertes par e-mail pour recevoir les détails des offres spéciales.

818 CAMPEZ

Choisir le camping peut vous faire économiser beaucoup. La plupart des terrains disposent aujourd'hui de nombreuses commodités modernes qui rendent le séjour plus confortable. Si vous préférez des vacances moins civilisées, informez-vous à l'avance sur la région pour y trouver des endroits plus sauvages.

819 ÉCHANGEZ VOTRE MAISON

Si vous souhaitez partir à l'étranger mais ne pouvez vous payer le logement, pourquoi ne pas pratiquer un échange de domicile ? Trouvez quelqu'un désireux de séjourner chez vous tandis que vous séjournerez chez lui. Il existe des organisations qui mettent en contact les uns et les autres, et vous payez uniquement le voyage et votre nourriture. Vous devez cependant accepter de laisser quelqu'un habiter chez vous quelques jours.

820 INVITEZ-VOUS

Au lieu de l'hôtel, essayez les café-couettes, moins chères. Beaucoup sont parfaitement équipées et offrent une atmosphère familiale et accueillante, ainsi que des repas beaucoup moins chers que ceux d'un hôtel. Parmi les points à vérifier, pensez aux salles de bains et aux éventuelles heures de retour le soir.

821 RÉSERVEZ DIRECTEMENT

Il vaut mieux réserver son hôtel séparément du voyage car cela permet parfois d'obtenir une meilleure chambre. Les hôtels classent leurs chambres par catégories et ont tendance à réserver les moins bonnes aux offres tout compris pour offrir mieux à leurs clients directs.

822 INTERCALEZ

Voyager juste avant ou juste après les vacances scolaires est un bon moyen de partir moins cher. Les compagnies aériennes et les hôtels baissent leurs prix, de même que les agences de location de voiture et d'autres services.

823 SORTEZ DES SENTIERS BATTUS

Cherchez les pays qui, pour diverses raisons, essaient de promouvoir leur réputation touristique. Ces derniers proposent souvent des offres exceptionnelles. Cependant, les raisons pour lesquelles personne ne s'y rend sont peut-être de bonnes raisons, aussi contactez des autorités compétentes et assurez-vous d'être suffisamment informé avant de partir.

824 JOUEZ AU TOURISTE

Pourquoi ne pas faire du tourisme dans votre ville ? Consultez les sites Internet de la région, informez-vous, prenez votre appareil photo et partez quelques jours à la découverte. C'est un excellent moyen de se détendre à bas prix.

825 PARTEZ TRAVAILLER

Pourquoi ne pas vous faire payer pour partir en voyage ? Engagez-vous comme fille au pair ou pour des travaux saisonniers comme la cueillette des fruits, ou offrez vos services d'enseignement ou toute autre compétence. Étudiez la question avant de partir afin de pouvoir prévoir suffisamment.

826 VISITEZ LES HÔTELS

Beaucoup d'hôtels louent des dortoirs en plus des chambres doubles, cela peut être utile si vous partez en groupe. Pensez cependant à réserver à l'avance.

827 ÉCONOMISEZ SUR LA ROUTE

Si vous prévoyez de longues heures de route, assurez-vous d'emmener vos provisions. Vous éviterez ainsi les dépenses de restaurant et n'aurez pas de difficultés à trouver l'heure et l'endroit où vous arrêter.

828 LOUEZ

Louer un appartement, une maison ou une villa revient souvent moins cher que de dormir à l'hôtel. C'est aussi un excellent moyen de dépenser moins pour manger car vous pouvez généralement y faire la cuisine. Cela ne veut pas dire que vous devez manger tous les soirs à la maison, mais ne sortir qu'un jour sur deux réduira très sensiblement vos dépenses alimentaires.

829 NÉGOCIEZ

Si l'hôtel choisi ne fait pas partie d'une chaîne, n'hésitez pas à marchander quelques extras. Affirmez par exemple que vous avez déjà réservé dans un autre hôtel moins cher, mais que vous changerez si vous pouvez avoir une nuit gratuite.

Transports

830 GAGNEZ DES POINTS

Utilisez vos cartes de crédit ou cartes de fidélité pour amasser des points de voyage avec lesquels acheter des billets d'avion. Comparez soigneusement les possibilités qu'offrent les différentes cartes pour être sûr d'accumuler le plus de points possible.

831 RESTEZ SOUPLE

Ne vous fixez pas sur un aéroport de départ ou d'arrivée. Il est parfois moins cher d'opter pour un aéroport secondaire, mais pensez à tenir compte du prix du trajet supplémentaire.

832 VOLER OU ROULER ?

Avant de prendre la voiture pour un long trajet, évaluez les frais d'essence, d'usure du moteur, du logement, etc. Prendre l'avion est souvent moins cher et plus rapide, surtout si le trajet en voiture dure plus que quelques heures.

833 PRENEZ-Y VOUS À L'AVANCE

Les compagnies aériennes comptent souvent sur les voyageurs d'affaires qui réservent quelques jours avant et paient le prix fort. Réserver tôt vous garantit de profiter des meilleures offres. C'est particulièrement vrai si vos dates de départ sont déjà fixées et ne peuvent être modifiées.

834 VOLEZ SOUVENT

Si vous voyagez beaucoup, que ce soit pour des raisons professionnelles ou pour le plaisir, rien ne vaut les programmes pour grands voyageurs qui vous permettent de gagner des points à échanger contre des surclassements, des objets divers et des nuits d'hôtel. Les clients professionnels sont particulièrement concernés car ils se soucient généralement peu de rester fidèles à un fournisseur.

835 PAYEZ COMPTANT

Payer comptant est un bon moyen de faire baisser le prix d'un vol car un paiement différé implique souvent des frais. Cependant, un paiement différé est plus sûr pour se faire rembourser en cas de problème (par exemple si la compagnie aérienne ferme).

836 RÉAGISSEZ VITE

Si vous pouvez vous permettre une certaine flexibilité quant à vos dates de vol, pourquoi ne pas vous inscrire sur les sites Internet des compagnies aériennes pour recevoir leurs alertes par e-mail ? Ces dernières liquident souvent leurs billets en basse saison. Veillez cependant à prendre en compte le prix final comprenant les suppléments, les taxes diverses, etc.

837 PENSEZ DIFFÉRENT

N'hésitez pas à faire appel à des petites compagnies aériennes qui pratiquent des tarifs réduits. Attendez-vous toutefois à devoir partir à des horaires et des dates différents de ceux des autres compagnies, le mardi matin à 6 heures, par exemple.

838 SOYEZ ORIGINAL

Pour faire une escapade à coût réduit, essayez de ne pas partir en même temps que tout le monde. Veillez par exemple à ne pas partir en début ou en fin de week-end, car c'est ces jours-là que les prix sont les plus élevés.

839 SOYEZ FLEXIBLE

Une idée qui peut vraiment vous faire gagner de l'argent, si vous pouvez vous permettre une certaine flexibilité, est d'expliquer à votre compagnie que vous êtes volontaire pour un vol plus tardif si votre avion est surbooké (trop de voyageurs pour un nombre de places insuffisant). Le plus souvent, les compagnies vous dédommageront pour le dérangement.

840 ESSAYEZ D'EN AVOIR PLUS

Au moment d'enregistrer vos bagages, essayez d'obtenir un peu de place en plus. Les surclassements sont généralement réservés aux grands voyageurs membres des programmes correspondants ou aux propriétaires de cartes de fidélité, mais si vous demandez poliment et croisez les doigts, vous pouvez y arriver.

841 RÉCUPÉREZ LES TAXES

Savez-vous que vous pouvez récupérer votre taxe de passager aérien (incluse dans le prix du billet) si vous annulez un voyage ? Certaines compagnies font parfois payer ce service, mais cela vaut presque toujours la peine pour les vols long-courriers.

842 VÉRIFIEZ VOS OPTIONS

Assurez-vous que le prix de votre vol à bas prix n'est pas majoré de charges « optionnelles » telles qu'enregistrement et repas. Vérifiez soigneusement ce que vous voulez acheter avant de payer et organisez-vous pour minimiser les coûts supplémentaires tels qu'enregistrement en ligne, bagages à main, repas à bord ou écouteurs pour regarder un film.

843 ACHETEZ EN DOUBLE

Aussi ridicule que cela puisse paraître, un aller-retour coûte généralement moins cher qu'un aller simple. Pour résoudre le problème, montrez-vous créatif : il est parfois plus intéressant d'acheter deux billets aller-retour et de n'utiliser que la moitié de chacun que d'acheter deux allers simples.

844 FAITES LE TOUR DU MONDE

Si vous prévoyez de longs voyages, surtout pour une longue période, cela vaut la peine de se renseigner auprès des agences spécialisées dans les tours du monde. Elles vous proposeront de bien meilleures offres que les compagnies classiques car elles sont plus flexibles.

845 DORMEZ EN ROUTE

Économisez une nuit d'hôtel et le transfert en prenant un train de nuit pour aller d'une ville à l'autre. La couchette vous garantit d'arriver en forme, le train a de grandes chances d'être calme et vous économisez beaucoup d'argent.

846 ASSUREZ-VOUS UNE SEULE FOIS

Les loueurs de voiture attirent presque toujours l'attention de leurs clients sur l'utilité d'une clause d'exclusion des dommages en option. Vérifiez cependant votre propre assurance auto, il se peut que vous soyez déjà couvert. Sinon, payez avec une carte de crédit qui vous couvrira chez la plupart des loueurs. Lisez toujours soigneusement ce qui est écrit en petit sur le contrat pour ne pas vous retrouver dans une situation embarrassante.

847 PENSEZ AU TRAIN

Le train peut être une option bon marché et se révéler plus confortable pour voyager à l'intérieur d'un pays. La plupart des pays disposent de bons réseaux ferroviaires fiables, notamment le Royaume-Uni, l'Inde, l'Afrique du Sud, les États-Unis, le Canada, l'Australie et la Nouvelle-Zélande.

848 ROULEZ GRATUITEMENT

Si vous avez plus de 25 ans et que vous voulez parcourir l'Amérique, pourquoi ne pas vous faire livreur de voiture ? Pour le prix de l'essence et une caution, vous pourrez conduire la voiture de quelqu'un d'autre à travers le pays. Soyez prudent cependant, vérifiez l'itinéraire car vous aurez certainement des directions à suivre qui ne passent pas forcément par les endroits que vous souhaitez visiter.

849 RÉSERVEZ-VOUS LES BONNES AFFAIRES

La plupart des avions décollent avec 20 % environ de leurs sièges vides. Pensez à profiter des offres de dernière minute toutes les fois où vous le pouvez. Plus vous partez tard, plus vous pourrez faire une affaire.

Rendez-vous et sorties pas chers

850 SORTEZ GRATUITEMENT

Cherchez dans un journal local les événements gratuits. Salles de concerts, théâtres, festivals, galeries et musées offrent souvent des occasions de se distraire gratuitement ou pour un prix minime, alors ouvrez l'œil.

851 RETROUVEZ-VOUS CHEZ VOUS

Pas besoin de sortir pour organiser un dîner romantique : fixez vos rendez-vous chez vous. Sortez votre plus belle porcelaine et vos couverts en argent, ouvrez une bonne bouteille, allumez quelques bougies et servez un repas exceptionnel, cela sera beaucoup moins cher que de sortir.

852 FAITES-VOUS LA LECTURE

Misez sur le romantisme à moindres frais : lors d'un rendez-vous, organisez tout simplement un tour de rôle pour vous lire des poèmes l'un à l'autre.

853 GOÛTEZ LE VIN

Même si vous n'habitez pas dans une grande région viticole comme Bordeaux, certains producteurs proposent peut-être des dégustations gratuites. Essayez d'y aller en semaine, l'événement sera moins couru et les serveurs plus généreux. Certains établissements font payer les dégustations mais, même dans ce cas, vous en aurez pour votre argent et vous vous amuserez beaucoup.

854 PENSEZ AUX LIBRAIRIES ET AUX CAFÉS

Ils parrainent souvent conférences, concerts, lectures et séances de signature – au cours desquels un verre de vin et des amuse-gueules sont offerts.

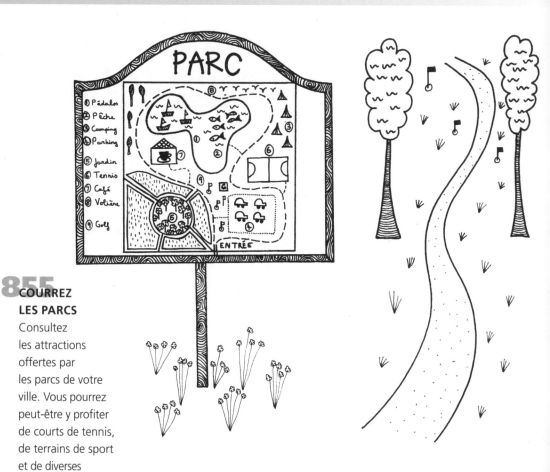

PARC

① Pédalos
② Pêche
③ Camping
④ Parking
⑤ Jardin
⑥ Tennis
⑦ Café
⑧ Volière
⑨ Golf

ENTRÉE

855 COURREZ LES PARCS

Consultez les attractions offertes par les parcs de votre ville. Vous pourrez peut-être y profiter de courts de tennis, de terrains de sport et de diverses activités.

856 COURREZ ÉGLISES, ÉCOLES ET UNIVERSITÉS

Ce n'est pas de l'opéra ou du grand théâtre, mais les églises et les écoles proposent souvent des concerts et des pièces de théâtre gratuits. Certaines organisent aussi des ventes aux enchères, des tombolas, des foires et tout autre événement visant à amasser des fonds qui sont autant de distractions et d'occasions de faire des affaires.

857 REGARDEZ LES ÉTOILES

Les étoiles et les planètes figurent au cœur de nombreuses histoires d'amour célèbres. Pour un après-midi ou une soirée romantique, emmenez votre partenaire au planétarium ou à l'observatoire, et contemplez ensemble les étoiles.

858 FÊTEZ LE CINÉMA

Pour les fans de science-fiction, louez toute la série de *La Guerre des étoiles* ou du *Seigneur des anneaux*. Pour les romantiques amoureux de vieux succès comme *Casablanca*, *Vacances romaines* ou *Elle et lui*, faites du pop-corn et profitez d'une nuit de cinéma.

859 EXPLOITEZ VOTRE ENVIRONNEMENT

Si vous habitez une région côtière, profitez-en pour plonger, faire du ski nautique ou nager ; si vous habitez une région très enneigée, faites des glissades ou du patin à glace ; faites de la voile ou ramez sur les rivières du voisinage ; à la montagne, profitez de la nature et de la verdure. Même hors saison, vous pouvez vous faire plaisir – essayez donc le cerf-volant ou la récolte de coquillages sur la plage.

860 CHANGEZ VOTRE JARDIN

Si vous ne pouvez pas vous permettre de partir loin, restez chez vous et profitez d'une chaude journée d'été pour transformer votre arrière-cour en plage paradisiaque. Installez-vous dans une chaise longue avec un bon livre, vos lunettes de soleil et de la crème solaire. Ce sera encore mieux si vous avez une piscine ou un peu d'eau, sinon, tirez parti du système d'arrosage de la pelouse. L'idée de la plage artificielle a été reprise par des municipalités du monde entier, comme Paris-Plage au bord de la Seine, pour offrir une détente bienvenue aux habitants des villes pendant l'été.

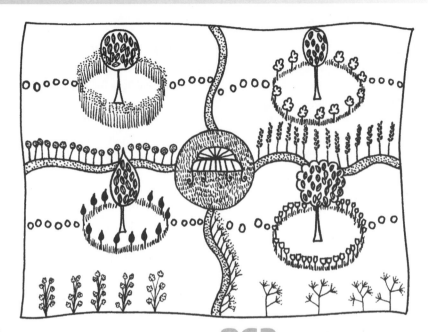

861 ALLEZ AU JARDIN EN VILLE

Les jardins botaniques et les centres d'horticulture offrent de superbes espaces pour de longues promenades pittoresques. Beaucoup comprennent plusieurs jardins, tels que jardin d'herbes, jardin botanique ou forêt tropicale, et proposent expositions, concerts et spectacles. Parfois aussi, on peut y visiter des serres et jardins d'hiver.

862 PROFITEZ DU GRAND AIR

Les pique-niques peuvent être organisés dans de nombreux lieux – parcs, plages, forêts ou tout autre endroit pittoresque. Ils sont encore plus réussis lorsqu'ils sont associés à une activité telle que la baignade, le bateau ou un concert gratuit. Vous pouvez aussi organiser un pique-nique dans votre jardin avec lumignons, musique d'ambiance et couvertures.

863 PARCOUREZ LES CHEMINS

Marche, randonnée, vélo et autres activités de plein air sont ouverts à tous, gratuitement, dans les parcs nationaux, les forêts et tous les espaces naturels. De nombreuses associations telles que des clubs de marche et de randonnée, pourront vous conseiller. Elles encouragent également la participation à des activités pédagogiques, au défrichement des chemins et à divers projets.

864 CHAUSSEZ VOS PATINS

La planche à roulettes, le patin à roulettes et le patin à glace sont autant d'idées de sortie amusantes et peu chères, idéales pour briser la glace. Choisissez une piste de patin à roulettes à l'ancienne qui joue de vieux succès pour une séance nostalgie ou contentez-vous de patins à roulettes et d'un parc si vous êtes plus sportif.

865 JOUEZ NOCTURNE

Ressortez les vieux jeux de société ou téléchargez un quiz sur Internet pour vous amuser à la maison. Stimulez les joueurs en proposant des mises – le perdant pourrait faire la vaisselle ou laver la voiture.

866 FAITES-VOUS INVITER PAR LA RADIO

Appelez la station de radio locale pour essayer de gagner des places de concert. De même, les stations de radio organisent parfois des concerts gratuits de groupes peu connus, alors ouvrez l'oreille.

867 OUVREZ LES PORTES

Les musées ont parfois plus à offrir que leurs collections permanentes, notamment des films, des concerts, des conférences et des expositions. Renseignez-vous aussi dans les galeries d'art du voisinage et les salles de ventes. En ville, de nombreux espaces culturels participent à des journées portes ouvertes pendant lesquelles vous pouvez visiter plusieurs galeries.

868 CHOISISSEZ LES DEMEURES HISTORIQUES

Suivez l'actualité des demeures historiques près de chez vous, on y propose parfois des entrées à prix réduits, des promotions pour certains anniversaires ou Noël, ou encore des activités les jours fériés. De même, renseignez-vous régulièrement auprès de la société de conservation du patrimoine local pour être au courant des prochains événements organisés.

Mariage

869 IMPRIMEZ VOS ENVOIS

Faites vos propres cartes de remerciements à peu de frais en utilisant une photo du mariage en guise de carte postale. Imprimez-la sur du papier épais ou un carton, écrivez quelques mots au verso et envoyez-la.

870 ACHETEZ D'OCCASION

Une robe de mariée d'occasion ne sied pas toujours parfaitement, mais les retouches sont faciles si vous trouvez une bonne couturière. Beaucoup de magasins de robes de mariées proposent aussi ce service. Choisissez une robe trop grande, qui pourra mieux être ajustée.

871 DEMANDEZ UNE CONTRIBUTION

Au lieu d'une liste de mariage, vous pouvez demander à vos invités de participer à un gros achat, par exemple un nouveau lit, une voiture, ou même votre voyage de noces. Les cadeaux de mariage ont pour but de vous aider dans votre future vie commune, alors soyez honnête et dites ce dont vous avez besoin.

872 OSEZ LA MODERNITÉ

Pour leur mariage, les futures mariées choisissent de plus en plus souvent des tenues qu'elles pourront remettre. Regardez du côté des robes de soirée (vous pourrez toujours la raccourcir et la teindre ensuite si vous n'avez pas souvent l'occasion de vous rendre dans de grandes réceptions).

873 IMPRIMEZ

Fabriquez vous-même vos faire-part avec votre ordinateur ou cherchez si vous pouvez profiter d'avantages ou de rabais par l'intermédiaire de votre entreprise. Si vous devez malgré tout avoir recours à un imprimeur professionnel, vous pouvez réduire les frais en imaginant et dessinant vous-même vos motifs.

874 DEMANDEZ PLUS

Si vous partez en voyage de noces, pensez à demander des surclassements et offres spéciales dans les endroits où vous passerez. Informez les hôtels que c'est votre lune de miel, beaucoup vous offriront paniers garnis, bouteilles de champagne ou corbeilles de fruits.

875 FAITES APPEL AUX AMIS

Pour réduire les frais de votre mariage, faites appel aux compétences de vos proches. L'un d'entre eux est peut-être assez bon pâtissier pour faire le gâteau. Demandez que les fleurs, la décoration et les photos, mais aussi la coiffure, le maquillage ou la confection de la robe vous soient offerts en cadeau de mariage.

876 ACHETEZ EN SOLDE

Pour acheter votre robe de mariée, fouillez parmi les robes de soirée des grands magasins et autres points de vente, et essayez d'acheter pendant les soldes pour réduire les frais. Rendez-vous dans les magasins de location de vêtements, ceux-ci vendent souvent les collections de la saison passée à des prix avantageux.

877 REMPLACEZ LES CONFETTIS

Au lieu de les acheter, faites vos propres confettis : morceaux de tissu découpés, grains de riz peints à la bombe, pétales de fleurs séchées au four tiède ou, tout simplement, des bulles.

878 FAITES UNE LISTE

Les grands magasins offrent parfois des réductions aux couples qui déposent leur liste de mariage, même si vos invités n'achètent pas les articles de la liste. Il suffit simplement de signer.

879 EMBAUCHEZ UN ÉTUDIANT

Faire appel à un photographe est souvent ce qui coûte le plus cher dans un mariage. Contactez les écoles pour trouver des étudiants récemment diplômés en photographie ou en dernière année, qui proposent souvent ce service pour moins cher. Veillez cependant à bien expliquer ce que vous attendez car le photographe n'aura aucune expérience.

880 OSEZ L'OCCASION

Pourquoi une bague de fiançailles ou une alliance devrait-elle forcément être neuve ? De nombreuses bijouteries d'occasion vous vendront des bagues qui ont déjà été portées ou des bagues commandées, que le client n'est pas venu chercher. Vous pouvez les modifier, cela vous coûtera toujours moins cher qu'une bague neuve.

881 FAITES UNE ROBE

Ne jetez pas votre robe de mariée, mais ne la laissez pas non plus prendre la poussière au grenier. Sauf si vous souhaitez la garder pour le mariage de votre fille, vous pouvez la convertir en robe de baptême ou la modifier, voire la teindre pour en faire une robe de cocktail.

882 CHANGEZ DE JOUR

Cela vous coûtera presque moitié moins cher de vous marier un jeudi, un vendredi ou un dimanche – et vous aurez plus de chances d'obtenir ce que vous voulez sans que tout ne soit déjà réservé. Choisissez une date en basse saison pour économiser davantage.

883 VENDEZ

Pourquoi ne pas vendre votre robe de mariée ou votre tenue sur Internet ? Vous pouvez aussi demander à récupérer les robes de vos demoiselles d'honneur à la fin de la journée et les vendre en lots ou séparément. Les robes de mariées d'occasion s'arrachent comme des petits pains car les femmes sont de moins en moins disposées à dépenser un mois de salaire pour une robe portée une seule fois.

884 ÉTABLISSEZ VOS PRIORITÉS

Pour prévoir le budget d'un mariage, l'essentiel est d'identifier les priorités. Passez en revue la liste des dépenses et déterminez celles sur lesquelles vous pouvez économiser. Vous pouvez par exemple décider de renoncer à un photographe professionnel.

885 CRÉEZ VOS DÉCORATIONS

Au lieu d'acheter des montagnes de fleurs fraîches pour les tables, pourquoi ne pas opter pour de petites plantes en pot ? Vous pourrez les donner à vos invités en souvenir. Vous pouvez aussi remplir des saladiers ou des vases en verre d'objets ramassés dans les bois tels que brindilles, pommes de pin ou mousse (que vous pouvez peindre à la bombe pour les assortir aux couleurs que vous avez choisies).

886 JETEZ LES PHOTOS

Au lieu de payer un photographe, pourquoi ne pas disposer des appareils jetables sur les tables et demander à vos invités de prendre des photos et de déposer les appareils dans un panier en partant. Vous pouvez également demander aux invités de prendre des photos avec leur appareil photo numérique et de vous les envoyer par e-mail, ou de les télécharger sur une page Internet créée à cet effet.

Festivités

887 FIXEZ VOTRE BUDGET

Quels que soient l'occasion et le destinataire d'un cadeau, fixez-vous un budget à ne pas dépasser. Cela ne sert à rien d'acheter le cadeau « parfait » à un ami ou un parent si vous ne pouvez pas payer vos factures à la fin du mois. Plus vite vous aurez fixé votre budget, plus vous pourrez commencer tôt à imaginer où chercher le cadeau idéal.

888 VOYEZ À LONG TERME

Pour un ami plus jeune, une petite sœur ou un filleul, rien ne vaut les cadeaux à compléter chaque année. Offrez par exemple une breloque de bracelet à chaque anniversaire ou une perle par an – la destinataire aura ainsi un collier lorsqu'elle sera en âge de le porter.

889 DONNEZ VOTRE TEMPS

Ce dont les jeunes parents ont sans doute le plus besoin est d'un peu de temps pour se détendre. Aussi, au lieu de leur faire un cadeau, proposez-leur de faire le ménage ou de leur faire un repas par semaine afin qu'ils puissent prendre un peu de repos bien mérité.

890 OFFREZ UNE BIBLE

La Bible est un cadeau de baptême peu onéreux, mais attentionné. Ajoutez-y vos propres signets ornés de passages choisis ou complétez-la par une lettre personnelle. Vous pouvez aussi l'emballer dans un journal de la date du baptême.

891 ÉCONOMISEZ SUR L'ESSENTIEL

Achetez dans un magasin à escomptes des petits objets tels que bougies, serpentins ou ballons et recyclez-les d'une année à l'autre pour faire des économies. Les thèmes de Pâques, Noël, Halloween ou autres fêtes traditionnelles restent toujours les mêmes, c'est donc un bon moyen de célébrer sans trop dépenser.

892 ACHETEZ DURABLE

Pour un baptême, au lieu des traditionnels – et onéreux – objets en métal précieux, pourquoi ne pas penser à l'avenir ? Demandez conseil pour trouver un vin ou un porto qui vieillira bien, puis achetez (un bon prix) une bouteille ordinaire qui deviendra extraordinaire (et très chère) lorsque l'enfant sera en âge de la déguster.

893 ÉCRIVEZ UN POÈME

Si vous êtes à court d'argent, un poème de votre main fera un très beau cadeau pour une occasion spéciale. Calligraphiez-le à la plume ou avec une encre d'exception et présentez-le dans un cadre (acheté ou récupéré), ou roulez-le à la manière d'un parchemin pour en faire un objet extraordinaire. Fouillez les anthologies pour trouver un poème qui vous plaît, ou cherchez dans les recueils consacrés à des thèmes tels que l'amour ou l'amitié, ou encore choisissez les paroles d'une chanson de votre artiste préféré.

894 RECYCLEZ HALLOWEEN

La semaine qui suit Halloween, vous pourrez acheter vos costumes pour l'année suivante à moitié prix. Rafistolez des costumes existants et ajoutez-y des accessoires pour les rendre un peu différents, plutôt que de racheter une tenue complète : une cape rouge conviendra à Dracula, au petit Chaperon rouge, au diable ou à Superman, tandis que les anges, princesses, fées et mariées sont interchangeables.

895 FAITES VOS CHOCOLATS

Au lieu d'acheter au prix fort des chocolats belges pour un anniversaire ou une soirée, faites vous-même vos pralines et caramels. Ils auront aussi beaucoup de succès pendant les vacances, pour Pâques ou après un repas, et peuvent faire un dessert original. Pour Pâques, faites vos propres œufs en chocolat à l'aide de moules en plastique ou composez un panier avec un assortiment de délices maison et achetés.

886 COLLECTIONNEZ

Faites en sorte de toujours être à l'affût des bonnes affaires susceptibles d'enrichir la malle de déguisements de vos enfants. Ceux-ci auront certainement l'occasion de se rendre à des fêtes déguisées pendant l'année, cela vaut donc la peine de garder les cadeaux publicitaires et de guetter les occasions.

887 FAITES VOS BONS PERSONNELS

La prochaine fois que vous devrez faire un cadeau alors que vous êtes un peu à court d'argent, offrez un carnet de bons pour des « services » que vous rendrez – jardinage, massage, manucure, repassage, etc. Les idées ne manquent pas pour rendre la vie de vos amis plus faciles.

888 INVITEZ

Au lieu d'offrir des cadeaux chers et de dépenser pour inviter des amis au restaurant le jour de leur anniversaire, pourquoi ne pas préparer un bon repas et les inviter ? Réunissez aussi quelques amis communs et faites un plat qu'ils aiment. Si chacun apporte une bouteille, cela vous coûtera moins cher que le restaurant.

Fêtes et réceptions

889 SERVEZ UN VERRE

Si vous n'avez pas de verres à liqueur pour servir des digestifs, fabriquez-en en chocolat : doublez un verre à liqueur de film alimentaire et recouvrez l'intérieur de plusieurs couches de chocolat fondu (laissez chaque couche durcir avant de déposer la suivante) jusqu'à obtention d'un « verre » assez épais. Démoulez et réfrigérez jusqu'au moment de servir. Vos invités pourront manger leur verre après en avoir bu le contenu.

900 CHOISISSEZ UN THÈME

Pourquoi ne pas faire une fête à thème et la transformer en soirée costumée ? Les déguisements seront assez colorés pour vous permettre d'économiser sur la décoration. Laissez libre cours à votre imagination pour le thème – événements historiques, films célèbres, style vestimentaire spécifique, etc.

901 ACCEPTEZ

Si vous recevez et que l'un de vos invités vous propose d'apporter quelque chose à manger, prenez-le au mot. De même, il n'y a rien de gênant à inviter en demandant que chacun apporte sa boisson, surtout si vous vous chargez de la nourriture. Cela permet à chacun de boire ce qu'il aime sans vous obliger à des dépenses excessives pour contenter tout le monde.

902 PESEZ LE PUNCH

Le punch est un très bon choix de boisson pour dépenser moins. Ajoutez à une base de jus de fruits de la limonade et de la vodka ou du rhum. Essayez de mélanger différents fruits, par exemple ananas et orange, ou cerises et pomme.

903 ASSOCIEZ LE THÈME À L'ANNÉE

Si vous avez pour tâche d'organiser l'anniversaire d'un de vos proches, pourquoi ne pas donner à la fête un thème lié à l'année de naissance? La même idée peut être appliquée aux anniversaires de mariage, avec un thème lié à l'année du mariage.

904 CHANTEZ

Rien ne vaut un karaoké pour dépenser moins: il suffit d'acheter, d'emprunter ou de louer le matériel, et le divertissement est assuré. Vous pouvez aussi demander à vos invités de s'habiller comme leurs stars préférées.

905 RESPECTEZ VOTRE BUDGET

La première étape pour organiser une fête consiste à fixer un budget et à le respecter coûte que coûte. Restez chez vous ou choisissez un lieu pas trop cher à louer, par exemple un parc, une salle paroissiale ou un club de sport; essayez de faire vous-même à manger ou demandez à vos amis d'apporter chacun un plat (à condition de les coordonner pour ne pas vous retrouver avec dix salades mais sans dessert!).

906 VOYEZ GRAND

Même si les petites bouteilles font un plus bel effet, le meilleur moyen d'économiser sur les boissons est d'acheter en gros. Visez les grandes bouteilles de jus ou autres boissons, et les caisses de bière et de vin (à condition de ne pas en acheter trop malgré tout). Servez l'eau dans des carafes.

907 PENSEZ À VOUS AMUSER

Pour les fêtes d'adultes comme pour les fêtes d'enfants, il est important de prévoir des divertissements. Une fête réussie doit être « construite » autour d'un élément central – musique et piste de danse, quiz ou jeux.

908 METTEZ À JOUR

Faire une liste vous permettra de voir au fur et à mesure ce qu'il reste à faire pour l'organisation de la fête et, surtout, de vérifier que vous ne dépassez pas le budget fixé. Vous ne perdrez pas de vue l'essentiel et vous aurez le temps de vous rendre compte des éventuels oublis.

909 DÉLÉGUEZ, DÉLÉGUEZ, DÉLÉGUEZ

Il y a très peu de chances que vous réussissiez à organiser une fête tout seul sans dépenser trop. Demandez de l'aide à vos amis et déléguez certaines responsabilités. Vous pouvez également fonder avec un groupe de voisins ou d'amis un « club festif » dont les membres conviennent de s'aider les uns les autres pour un certain nombre de fêtes par an.

Fêtes d'enfants

910 RESTEZ INTIME

Les enfants n'ont pas besoin d'un grand anniversaire tous les ans, ils peuvent aussi se contenter d'emmener un ou deux amis à la piscine ou aux quilles, ou encore au cinéma, au théâtre ou au restaurant.

911 CRÉEZ VOS BIJOUX

Proposez aux invités de vos enfants de faire leurs propres bijoux comestibles à emporter en partant : achetez des bonbons, des chocolats, des fruits secs et des guimauves qu'ils pourront enfiler sur des fils de réglisse pour en faire des colliers ou des bracelets à manger.

912 OFFREZ UNE SOIRÉE-CINÉ

Pour un adolescent, l'idée d'un anniversaire sous le signe du cinéma est souvent une bonne idée. Aidez les enfants à faire leur maïs soufflé ou leurs pizzas, puis laissez-les installés devant un DVD et organisez un quiz sur le film ou une chasse au trésor sur le thème du cinéma.

913 BRICOLEZ

Pour une fête d'enfants réussie, fabriquez de la pâte à sel avec 1 verre d'eau, 1 verre de sel et 2 verres de farine. Pétrissez le tout pendant 5 minutes, et proposez à vos petits invités de laisser libre cours à leur imagination. Il vous suffira de faire cuire les réalisations de chacun au four à (75 °C) pendant quelques heures. À la fin de la journée, les enfants seront ravis de repartir avec leurs œuvres.

914 CUISINEZ PAS CHER

Pour faire un magnifique gâteau d'anniversaire sans trop dépenser, achetez un gâteau glacé ordinaire dans un grand magasin et décorez-le d'un motif personnalisé à l'aide de glaçage coloré ou de figurines en pâte d'amandes.

915 LAISSEZ FAIRE

Plutôt que de dépenser de grosses sommes en petits objets à offrir, proposez aux enfants une activité qui leur permette de faire leurs propres cadeaux : décorer de petits gâteaux, découper des masques d'animaux ou peindre un pot de fleurs. Les bonnes idées ne manquent pas. Vous pouvez aussi organiser une chasse au trésor.

916 CASSEZ LA PIÑATA

Une piñata est une boule de papier mâché décorée et remplie de petits objets et de bonbons. Elle est suspendue à un arbre ou à un crochet au plafond et les enfants essayent à tour de rôle de la frapper avec un bâton les yeux bandés jusqu'à ce qu'elle se brise et déverse par terre son contenu de petits cadeaux.

917 FAITES PLAISIR AUX ADOLESCENTS

Si vous organisez une fête pour des enfants plus âgés, essayez de trouver des idées de cadeaux-bricolages moins puériles : teinture au nœud de t-shirts ou de tissus, enfilage de perles pour créer des bijoux, décoration de cadres ou de miroirs à l'aide de coquillages et de perles pour les filles, petite menuiserie, pizzas ou création d'avions en papier pour les garçons – les idées ne manquent pas.

Noël

918 JOUEZ LES PÈRES NOËL SECRETS

Si vous être nombreux lors des fêtes de Noël, organisez un tirage au sort de cadeaux. Chacun achète un petit cadeau – tous les cadeaux doivent avoir la même valeur. Le soir de Noël, procédez au tirage au sort pour distribuer les paquets. Ainsi tout le monde ne fait qu'un achat et tout le monde reçoit un cadeau.

919 REMPLISSEZ L'ARMOIRE

Videz une armoire de votre cuisine pour en faire une « armoire de Noël ». Dressez la liste de tous les ingrédients à acheter et répartissez les achats sur plusieurs semaines (pensez à vérifier les dates de péremption). Vous pouvez reprendre l'idée pour toutes les fêtes qui nécessitent de faire beaucoup de provisions.

920 GARDEZ VOTRE LISTE

Si vous commencez à acheter vos cadeaux de Noël en janvier et continuez toute l'année, veillez à rester bien organisé et à ne pas oublier ce que vous avez déjà acheté pour ne pas gaspiller d'argent. Pour cela, gardez sur vous une liste de ce que vous avez déjà acheté et pour qui.

921 ÉCONOMISEZ LES BONS

Pour économiser en vue du Noël suivant, conservez tous les bons de réduction, les coupons ou les points accumulés pendant l'année et réservez-les à vos achats de Noël.

922 ÉCONOMISEZ EN FÊTE

Il n'y a aucune raison de s'endetter pour Noël
– c'est une date qui revient tous les ans, pas une
surprise. Si vous avez du mal à vous en sortir,
commencez vos préparatifs plus tôt en mettant
de côté tous les mois ou en faisant quelques
achats ici ou là pour répartir les dépenses.

923 FAITES DES DÉCORATIONS MAISON

Plutôt que d'acheter des décorations de Noël,
faites-les vous-même : inventez des guirlandes
à l'ancienne à l'aide d'anges, de papier
découpé en forme de feuilles de houx ou de
sapins, ou encore pliez et coupez des bandes
de papier pour obtenir des flocons de neige
à accrocher en bouquets ou guirlandes.

924 ÉPARGNEZ

Si vous craignez de ne pas avoir la volonté
d'économiser toute l'année pour Noël, pourquoi
ne pas vous inscrire, par exemple, à l'épicerie
de Noël au supermarché? Cela vous aidera à
mettre de côté un certain montant de façon
plus sûre jusqu'aux fêtes. Pour faire de
véritables économies, inscrivez-vous tôt
dans l'année.

925 ACHETEZ MALIN

Les décorations et les cadeaux de Noël
sont généralement vendus à moitié prix,
voire moins, pendant les soldes de janvier.
Pensez à en profiter et faites des réserves.
Achetez tout ce que vous trouvez –
papier-cadeau, ruban, serviettes en papier,
bougies, décorations et guirlandes
lumineuses.

926 GARNISSEZ UN PANIER

Faites le tour des marchés du voisinage
pour composer un panier de Noël à offrir.
Si cela vous paraît trop cher, contentez-vous
de quelques articles et complétez avec
des objets plus ordinaires achetés au
supermarché, par exemple des biscuits.

927 CONTRIBUEZ

Au lieu d'assumer seul le plus gros des achats
de Noël, essayez mettre votre entourage
à contribution. Partager le cadeau de papa
ou de maman avec un frère ou une sœur, par
exemple, vous permettra d'offrir un cadeau
plus beau pour moins cher. Vous pourrez
en plus profiter des idées de chacun.

928 RAMIFIEZ

Plutôt que d'acheter un arbre de Noël,
récupérez des branches de sapin
(demandez à vos amis et parents
d'attendre l'hiver pour élaguer) ou
ramassez des branches tombées dans
un parc ou dans un jardin. Peignez
ces branches à la bombe en argenté
ou en doré pour donner à vos décorations
un air sophistiqué, ou laissez-les naturelles
et ajoutez-y des guirlandes lumineuses
et des babioles.

929 FAITES UNE PAUSE

Avez-vous déjà pensé à remplacer
la cérémonie traditionnelle, et chère,
de Noël par des vacances ? Convenez
entre vous de renoncer aux cadeaux
et, à la place, partez au soleil ou sur
les pistes. Vous serez étonné des vacances
que vous pourrez vous offrir avec ce que
vous auriez dépensé pour Noël. Sans
compter que, comme vous serez parti,
vous n'aurez pas à organiser de fête,
envoyer de cartes de vœux ou faire
des cadeaux.

Naissance

930 REGROUPEZ PARENTS ET ENFANTS

Adhérez à un groupe de mères et d'enfants à la maison de la famille de votre quartier. Cela vous permettra de rencontrer d'autres mères, tandis que vos enfants joueront avec d'autres enfants. Cela revient beaucoup moins cher que les activités de loisirs proposées traditionnellement aux enfants.

931 PENSEZ PRATIQUE

Si vous organisez une fête pour célébrer une future naissance, demandez des cadeaux utiles tels que vêtements, literie et articles de toilette. Une excellente idée est le « gâteau de couches », une pièce montée faite de paquets de couches.

932 LIMITEZ LES OCCASIONS

C'est une excellente idée de chercher un lit de bébé d'occasion, mais les matelas déjà utilisés sont suspectés de favoriser les allergies et la mort subite du nourrisson, mieux vaut donc remplacer la literie.

933 ALLEZ À LA LUDOTHÈQUE

Les ludothèques sont très pratiques car elles permettent d'emprunter des jouets pour une durée moyenne de deux semaines à un coût minime. Vous pouvez ainsi essayer de nombreux jouets et attendre de voir ce qui plaît à votre enfant avant de faire vos achats.

934 DÉPLACEZ-VOUS EN TOUTE SÉCURITÉ

N'achetez pas de siège auto d'occasion si vous n'êtes pas absolument certain que son précédent propriétaire n'a jamais eu d'accident, le siège pourrait en avoir subi des dommages et mettre en danger votre bébé. Cependant, récupérer un siège déjà utilisé par un membre de votre famille ou un ami de confiance vous fera faire beaucoup d'économies.

935 LIMITEZ-VOUS SUR LES VÊTEMENTS

Évitez d'acheter des vêtements trop chers pour un nouveau-né, ils seront trop petits en quelques semaines. Attendez que votre bébé ait un an environ et qu'il porte ses vêtements un peu plus longtemps pour faire des dépenses supplémentaires.

936 ALLAITEZ POUR ÉCONOMISER

Allaiter n'est pas seulement meilleur pour le bébé, cela revient beaucoup moins cher que d'acheter du lait en poudre. Même si vous tirez votre lait et devez acheter quelques biberons, cela n'a rien à voir avec les coûts des biberons, du stérilisateur, du lait maternisé et des ustensiles de nettoyage nécessaires pour nourrir votre bébé au biberon.

937 FAITES UNE LISTE

Faites une liste de naissance sur le modèle des listes de mariage. Demandez aux amis et parents susceptibles de vous faire un cadeau de vous offrir un objet de la liste.

938 CONSEILLEZ

Si vous avez déjà eu un bébé, vous pouvez faire un cadeau inestimable à une jeune maman : votre expérience. Composez à peu de frais un panier contenant les choses essentielles pour un bébé et ajoutez-y un ouvrage de référence et quelques citations édifiantes pour les moments difficiles. Vous pouvez aussi y mettre des bons de gardiennage à utiliser avant que le bébé ait un an.

Shopping malin

939 MANGEZ BIEN

Le jour des soldes, prenez un bon petit-déjeuner pour être sûr d'avoir l'énergie nécessaire pour résister à la folie ! Si vous avez l'intention de faire les soldes sérieusement, il importe de vous y prendre assez tôt, ou alors toutes les meilleures affaires seront déjà parties. Préparez-vous à des bousculades, emmenez de l'eau et de quoi grignoter pour tenir le coup et ne perdez pas de vue votre objectif – ne vous laissez pas distraire.

940 LISEZ JUSQU'AU BOUT

Au moment de conclure un achat, vérifiez toujours les conditions de retour du magasin, qui ne sont pas toujours les mêmes pour les articles en solde et les autres. Si vous avez la possibilité d'emmener un article sans l'essayer et de le rendre éventuellement plus tard s'il ne vous va pas, plutôt que de faire la queue devant la cabine d'essayage, n'hésitez pas.

941 ÉVALUEZ LES BONS

Si vous possédez une carte fidélité
dans un supermarché, utilisez les bons
que vous gagnerez pour des abonnements
à des journaux ou à d'autres divertissements
car ils valent souvent plus que ce que
vous pourriez obtenir en vous contentant
de les troquer contre de l'argent.

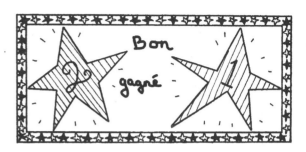

942 DEMANDEZ

Si vous ne trouvez pas votre taille, demandez
au personnel du magasin d'aller voir en réserve
et d'appeler les autres succursales pour voir
s'ils peuvent vous garder l'article voulu ou le
faire parvenir à votre magasin. Si le personnel
est trop occupé pour appeler, demandez
les numéros et faites-le vous-même.

943 MARCHEZ

Lors des soldes, n'oubliez pas que
vous allez parcourir de grandes distances
en une journée. Mettez des chaussures
confortables pour ne pas avoir mal
aux pieds et des chaussures que vous
pouvez ôter et enfiler facilement pour
en essayer d'autres.

944 CHICANEZ

N'hésitez pas à marchander, même dans
les grandes enseignes. Si les vendeurs
ne vous font pas de rabais, ils peuvent
toujours ajouter des primes telles que câbles
supplémentaires pour un ordinateur ou piles
pour un jeu. N'hésitez pas à demander.

945 ALLEZ TOUT DROIT

Avant de faire les soldes, prenez une journée
pour faire vos recherches. Allez dans vos
magasins préférés et demandez à voir les
articles qui seront soldés. Faites une liste
de ceux qui vous plaisent et que vous pensez
acheter, et essayez-les pour savoir quelle taille
prendre le jour des soldes.

946 SUIVEZ LE CYCLE

Suivez le cycle des marchandises de vos magasins préférés, c'est-à-dire le temps que les vêtements passent dans le magasin avant d'être remplacés ou vendus moins cher. Vous pourrez ainsi mieux profiter des bonnes affaires.

947 ACHETEZ AU BON MOMENT

Si vous prévoyez de faire un gros cadeau de Noël, par exemple une télévision ou un appareil photo numérique, faites un reçu au destinataire en lui promettant d'acheter l'objet après Noël lorsque son prix sera réduit ou pendant les soldes (vous dépenserez alors le même montant mais pour une meilleure version).

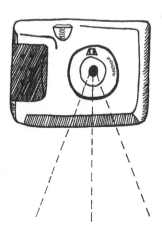

Marchés aux puces et ventes-débarras

948 RESTEZ FERME

Si quelqu'un vous demande le prix d'un objet que vous vendez, répondez-lui fermement. Si vous hésitez, il y a de grandes chances qu'il marchande. Par ailleurs, les acheteurs seront plus enclins à dépenser si vous n'affichez pas le prix, car ils y verront une possibilité de négocier. Commencez avec un prix un peu plus élevé que celui que vous avez fixé.

949 PAYEZ COMPTANT

N'emportez pas de carte de crédit ou d'autres objets de valeur à une vente, contentez-vous de prendre ce que vous pouvez porter en toute sécurité et laissez le reste à la maison. Tout le monde sait que les stationnements sont appréciés des voleurs, mieux vaut donc ne rien laisser non plus dans votre voiture. Prenez beaucoup d'argent comptant, mais seulement le montant que vous voulez dépenser, pour être sûr de ne pas vous laisser emporter.

950
VÉRIFIEZ VOS CONNAISSANCES

Achetez un journal local, vérifiez en ligne ou demandez autour de vous
pour savoir quand ont lieu les ventes-débarras et les marchés aux puces.
Faites en sorte d'y être tôt si vous voulez faire des affaires. Très tôt.

951 PORTEZ

Emportez beaucoup de sacs, un panier ou un sac à dos, voire une voiture d'enfant ou tout autre engin sur roues : vous serez étonné de constater le poids que peuvent peser de petits objets lorsqu'il s'agit de les porter toute la journée – et si vous vous reposez, vous manquerez des bonnes affaires !

952 REGARDEZ BIEN

Regardez bien sur la table, mais aussi dessous, autour et derrière, car certains des objets les plus intéressants ou originaux sont parfois mis à l'abri pour ne pas être abîmés. Demandez au vendeur s'il a autre chose à vous offrir et pensez à faire plusieurs fois le tour des tables pour voir les nouveaux objets qui apparaissent au fur et à mesure.

953 SÉPAREZ LE PAPIER

Si vous achetez des articles en papier, vérifiez soigneusement leur état – ceux-ci peuvent avoir été mouillés par la pluie lors de ventes précédentes. Évitez les enveloppes, papiers à cigarettes et autres objets susceptibles d'être abîmés par l'humidité.

954 NE VOUS FAITES PAS ACCOMPAGNER

Ne faites pas le marché avec des enfants en bas âge, faites-les garder et partez seul à la chasse aux bonnes affaires, surtout s'il fait chaud.

955 ACHETEZ PLUS

Si vous achetez plus d'un article à un vendeur, demandez un rabais – mais n'ajoutez pas d'articles à votre liste d'achats uniquement pour obtenir un rabais, vous ne feriez pas d'économies. Pensez aussi à repasser à la fin du marché, car beaucoup de vendeurs « soldent » à la fin de la journée.

956 MARCHEZ DROIT

Dans les grands marchés, les tables sont généralement disposées en grille. Pour éviter de manquer d'éventuelles bonnes affaires, essayez de prévoir un itinéraire : par exemple, commencez au début d'une allée et avancez jusqu'au bout en regardant systématiquement d'abord les tables de droite, puis celles de gauche, l'important étant de respecter l'itinéraire fixé.

957 ATTABLEZ

Le meilleur moyen de vous débarrasser des objets que vous voulez vendre consiste à vous assurer que les acheteurs potentiels les voient : disposez-les sur des tables et prévoyez des bâches pour les couvrir s'il pleut.

958 DISPOSEZ

Arrangez votre espace avec logique. Regroupez les articles par genre – produits de beauté, livres ou CD. Posez en évidence sur la table les objets les plus recherchés par les acheteurs, et posez par terre les objets plus difficiles à vendre comme les jouets en peluche et les ustensiles de cuisine. Suspendez les vêtements à des portants et prévoyez un panier pour y mettre les textiles volumineux tels que rideaux et couvertures.

959 FAITES-VOUS ACCOMPAGNER

Il vaut toujours mieux être deux pour tenir une table. Si un ami vous tient compagnie, vous pourrez aller aux toilettes, acheter à boire et à manger ou jeter un coup d'œil aux autres tables en toute tranquillité – sans compter que c'est plus amusant à deux.

960 PENSEZ À LA MONNAIE

Tous les acheteurs n'auront pas la monnaie, assurez-vous donc d'en avoir assez si vous ne voulez pas risquer de rater une vente parce que vous ne pouvez pas rendre la monnaie.

961 VERROUILLEZ

Pour vendre votre voiture, laissez les portes fermées pendant que vous discutez avec les clients et mettez vos gains à l'abri pour ne pas vous faire détrousser. Si vous organisez une vente dans votre garage, assurez-vous que le reste de la maison est fermé et que personne ne peut entrer sans y avoir été invité.

962 DONNEZ DES PRIMES

Pourquoi ne pas faire comme les supermarchés et lancer une opération « un produit gratuit pour un produit acheté », ou même « trois produits pour le prix de deux » ? C'est un excellent moyen de vous débarrasser des objets dont vous ne voulez plus et cela vous permet de vous concentrer sur la vente des articles de plus grande valeur. Bijoux fantaisie, CD et DVD ou produits alimentaires peuvent notamment être cédés gratuitement.

Vendre et acheter sur Internet

963 RÉCUPÉREZ VOTRE ARGENT

Pensez aux rabais que vous pouvez obtenir en ligne. En effet, beaucoup de magasins proposent des réductions ou des bons d'achat si vous achetez sur leur site. Contentez-vous cependant des articles que vous auriez achetés et ne vous laissez pas tenter par les « bonnes affaires » ou les « remises » sur des produits dont vous n'avez pas besoin.

964 LISEZ LES RÉACTIONS

Avant d'acheter sur un site d'enchères en ligne, pensez à lire le profil d'évaluation du vendeur et les réactions des acheteurs précédents. Si elles ne sont pas très nombreuses ou pas très positives, réfléchissez-y à deux fois avant de vous décider. Si vous avez des questions, posez-les toujours avant de faire une offre, notamment si certains détails ne sont pas clairs comme les frais de livraison, d'assurance, etc.

965 NE PRENEZ PAS DE RISQUES

Faites attention lorsque vous donnez vos numéros de carte de crédit sur Internet, vérifiez toujours que le site de l'entreprise soit sécurisé et renseignez-vous sur la protection en ligne que l'entreprise a mise en place. La plupart des commerces de bonne réputation vous en informent gratuitement.

966 LISEZ LE CONTRAT

Aussi tentant que cela puisse être de cliquer sur le bouton « J'accepte » sans lire les conditions d'achat, habituez-vous à ne pas le faire. Vous ne donneriez pas votre argent dans la rue à n'importe qui à n'importe quelles conditions, ne le faites pas non plus en ligne.

967 COMPTEZ LES FRAIS

Avant de faire une acquisition sur Internet, vérifiez le montant des frais d'expédition ou autres frais supplémentaires tels que stockage et manutention. Si vous achetez à l'étranger, pensez aussi aux taxes d'importation parfois élevées et assurez-vous d'avoir convenu d'un délai de livraison. Calculez le coût total avant d'acheter.

968 PENSEZ AU RETOUR

La plupart des compagnies qui vendent sur Internet ont des politiques de retour avantageuses, mais cela vaut la peine de bien étudier ce point avant d'acheter. Vous éviterez ainsi les mauvaises surprises, comme de vous apercevoir que les frais de renvoi sont à votre charge. Pensez-y surtout si vous achetez des objets lourds. Si vous achetez à l'étranger, vérifiez aussi les éventuels frais de douane.

969 IMPRIMEZ

Imprimez votre commande sur le site et vérifiez qu'elle correspond au message de confirmation que vous avez reçu. Gardez également un signet ou une version papier des modalités du contrat et des conditions d'achat afin de pouvoir vous y référer au besoin.

970 PAYEZ À CRÉDIT

Les cartes de crédit à paiement différé offrent une meilleure protection que les cartes de crédit à paiement immédiat. En cas d'achat sur un site frauduleux, les clients ayant payé par carte à paiement différé auront le temps de s'organiser avec leur banque.

971 CONTACTEZ

Si vous n'êtes pas convaincu par les références d'un vendeur sur Internet, cherchez son numéro de téléphone et essayez d'en savoir plus sur lui.

Gagner de l'argent

972 VENDEZ VOTRE CORPS

En plus de vendre ce dont vous n'avez plus besoin, vous pouvez aussi vous faire payer pour participer à des études cliniques. Faites le tour des laboratoires qui font des essais ou demandez conseil au centre médical le plus proche.

973 ENSEIGNEZ

Si vous êtes étudiant, tirez profit de votre savoir pour vous faire de l'argent de poche. Offrez vos services pour enseigner ou encadrer des travaux dirigés dans votre matière, ou encore pour relire et corriger des mémoires et des CV.

974 FOUILLEZ VOTRE GRENIER

Passez au peigne fin votre grenier et votre cave à la recherche de trésors susceptibles d'être vendus. La collection de t-shirts Elvis de votre tante ou les vieux disques vinyle de votre père pourraient rapporter beaucoup sur Internet. Demandez quand même aux propriétaires !

975 SPÉCIALISEZ-VOUS

Si vous possédez une compétence spécifique ou avez fait des études de haut niveau dans une certaine matière (cela peut être n'importe quoi, anglais, mathématiques, informatique, plomberie, astrologie, musique), offrez vos services en tant que professeur particulier, c'est un excellent moyen de gagner de l'argent en faisant ce que vous aimez.

976 CHERCHEZ LES AVANTAGES DU MÉTIER

Passez en revue ce qui vous coûte le plus cher et les choses sur lesquelles vous n'êtes prêt à aucun compromis, et cherchez un moyen de réduire les frais. Travailler dans un restaurant, par exemple, vous permettra de manger à bas prix ou gratuitement, tandis qu'un emploi dans un magasin de vêtements vous fera bénéficier de remises.

977 EXPLOITEZ LE WEB

Si vous connaissez bien un sujet ou si vous avez un groupe d'amis auxquels vous associer, créez un site Internet. Il suffit d'un ordinateur et les frais sont minimes. Si vous avez beaucoup de visites, vous pourrez gagner de l'argent en faisant passer des annonces publicitaires.

978 CRITIQUEZ

Si vous avez quelques talents d'écriture, vous pouvez rédiger des critiques de concerts, de restaurants, de films ou d'instituts de beauté pour les journaux locaux ou pour des sites Internet. Outre une expérience gratuite, vos articles vous rapporteront de petites sommes.

Gratuits

979 PRENEZ LA POSE

Si vous vous intéressez aux beaux-arts, vous pourriez servir de modèle pour un cours sur l'étude du vivant. On vous demandera de rester le plus immobile possible pour les poses nues, sauf s'il s'agit de poses en mouvement, auquel cas les enseignants préfèrent souvent celles qui font faire des efforts au sujet pour plus de dynamisme. Beaucoup d'établissements paient des étudiants en art, veillez cependant à choisir une maison de bonne réputation.

980 LOUEZ VOTRE MAISON

Les équipes de repérage pour le cinéma, la télévision et la publicité sont en permanence à la recherche de lieux de tournage. Même si votre demeure n'est pas parfaite, elle peut incarner l'intérieur ordinaire qu'elles recherchent. Il est généralement plus rentable de louer l'intérieur qu'une vue extérieure seulement. Beaucoup d'agences sur Internet pourront inscrire gratuitement votre propriété sur leur liste (elles ne prélèveront une commission que si votre maison est sélectionnée), mais évitez celles qui exigent un paiement d'avance.

981 ÉCHANGEZ

Cherchez les sites Internet qui proposent à leurs adhérents d'échanger des objets entre eux. Regardez ce qui est proposé à proximité de chez vous ou passez une annonce pour vous débarrasser de vos vieilleries.

982 RECYCLEZ LES CANETTES

Saviez-vous que l'épicerie le plus proche pourrait bien vous payer pour récupérer vos canettes en aluminium à recycler ? Cherchez les dépôts qui proposent ce service et changer vos bouteilles et cannettes pour un profit petit, mais significatif.

983 CHERCHEZ LE TRÉSOR

Fouillez votre maison pour récupérer toutes les pièces qui traînent : cachettes « sûres », vieux porte-monnaie ou sacs, fonds de tiroirs, boîtes à bijoux, cartes de vœux et d'anniversaire, coussins de canapé et de chaises, dessous et arrière des meubles. Vous serez surpris des sommes que vous trouverez.

984 ALLEZ À LA BIBLIOTHÈQUE

Le coût de l'adhésion à une bibliothèque publique est minime et, si vous payez des impôts, vous financez déjà leurs services. Tirez-en le meilleur profit, explorez-les et cherchez comment les intégrer à votre vie pour faire des économies.

985 INSCRIVEZ-VOUS

Beaucoup de sites Internet proposent des échantillons gratuits. Une fois que vous serez inscrit sur de tels sites, le fabriquant vous enverra sans doute des échantillons de tous ses nouveaux produits pour vous les faire connaître.

986 LISEZ GRATUIT

Pour dépenser moins en journaux, profitez des gratuits qui sont distribués dans les gares ou les stations de métro. Ce sont parfois des versions abrégées des grands journaux et, même s'ils sont souvent plus superficiels, ils couvrent généralement les principaux titres de l'actualité.

987 TESTEZ

Inscrivez-vous au groupe-test de lecteurs de votre journal ou magazine préféré. Écrivez-leur en expliquant pourquoi ils doivent vous sélectionner (décrivez votre style de vie, votre allure, votre métier, etc.) et ils vous incluront peut-être à leur groupe de consommateurs auquel ils envoient des exemplaires gratuits.

988 RÉSERVEZ LES SOLDES

Votre bibliothèque organisera peut-être une vente de livres si elle renouvelle ses stocks. Même une seule fois par an, vous pouvez faire de très bonnes affaires. Il arrive aussi que les livres soient donnés. Pensez à rester en contact pour être au courant des dates.

989 GAGNEZ EN LIGNE

Pour obtenir des vêtements gratuits en ligne (des articles publicitaires – par exemple des casquettes de basket-ball, des t-shirts et des sweat-shirts – ou parfois des produits de marque), faites un tour sur les sites Internet qui relaient de nombreuses occasions de faire des affaires dans le monde entier.

990 TESTEZ GRATUITEMENT

Écrivez aux producteurs de vos produits préférés (produits de beauté, produits ménagers, boissons et alimentation) et faites-vous inscrire sur leur liste de consommateurs test. Pensez aussi aux supermarchés qui possèdent leur propre marque ou les sociétés spécialisées dans les tests.

991 VENDEZ VOTRE PORCELAINE

Si vous avez de la vieille porcelaine de famille, pensez à la proposer à des entreprises spécialisées dans la vente de porcelaine et de céramique. Ces dernières vous en offriront sans doute un bon prix car elles sont souvent à la recherche de pièces pour compléter des services.

992 ALLEZ EN GROUPE

Vous pouvez bénéficier de réductions très importantes si vous faites une visite en groupe. Rassemblez un groupe d'amis et, si vous réservez tôt, vous avez des chances de vraiment faire une bonne affaire.

993 RÉPONDEZ

Le meilleur moyen d'obtenir des produits gratuits est de répondre à une enquête en ligne. Prenez quelques minutes pour donner vos coordonnées et vous recevrez des échantillons, souvent accompagnés d'une participation à un tirage au sort. Faites bien attention cependant à cocher la case « Je ne souhaite pas être contacté » pour ne pas être inondé de messages.

994 CHOISISSEZ UNE JEUNE ENTREPRISE

Les commerces qui viennent d'ouvrir offrent souvent des articles gratuits pour attirer les clients : les imprimeurs de t-shirts peuvent en donner un, les parfumeries offrent des rouges à lèvres et les cafés, des boissons gratuites.

995 ASSISTEZ

Pourquoi ne pas faire partie gratuitement du public de votre émission télévisée préférée ? Contactez les réalisateurs ou vérifiez en ligne les places disponibles et soyez prêt à aller aux enregistrements en semaine. Une fois sur place, beaucoup de chaînes de télévision proposent un tour en coulisses.

996 TROUVEZ LE CODE

Explorez les sites Internet qui proposent aux gens du monde entier de s'échanger des codes de réduction. Imprimez les bons ou utilisez le code pour faire des achats en ligne. Vérifiez cependant que vous êtes dans votre bon droit : certains codes sont exclusivement réservés aux personnes auxquelles ils sont envoyés, mieux vaut donc être certain de ne rien faire d'illégal.

997 REJOIGNEZ LE CLUB

S'inscrire sur des sites dédiés aux parents est un bon moyen d'obtenir des échantillons gratuits et des remises sur des articles de marque pour bébés et enfants. Inscrivez-vous également pour tester des sites destinés aux parents.

998 CHERCHEZ LE GRATUIT

De très nombreux sites Internet recensent les offres gratuites et la manière d'obtenir des produits gratuits. Généralement, vous recevez un message hebdomadaire avec les nouvelles offres que vous pouvez consulter. Assurez-vous simplement de ne pas vous laisser tenter d'acheter quelque chose dont vous n'avez pas besoin uniquement parce que c'est en promotion.

999 CONTACTEZ LE PRODUCTEUR

Si vous achetez régulièrement les produits d'une entreprise, contactez cette dernière pour être inscrit sur sa liste d'adresses. Le numéro du service clientèle est souvent noté sur les emballages. Si vous appelez ce dernier, ils vous enverront les nouveaux produits et offres spéciales dès leur sortie.

1000 PARLEZ GRATUITEMENT

Si vous n'avez pas d'abonnement mais payez
les communications de votre téléphone mobile,
vous pouvez obtenir des minutes gratuites
en répondant à des enquêtes en ligne. Sinon,
demandez des codes de réduction à des amis
ou inscrivez-vous à un réseau qui vous offre
des appels gratuits si vous acceptez de recevoir
un certain nombre de publicités chaque jour.
Si vous avez un abonnement, demandez
régulièrement à votre opérateur – il offre
peut-être quelques minutes gratuites par
mois et des promotions.

1001 ÉTUDIEZ LE MARCHÉ

Inscrivez-vous sur le site d'une entreprise
d'études de marché, vous recevrez des
messages lorsque celle-ci cherchera un profil
de consommateur à partir de critères tels
qu'âge, sexe, situation familiale, enfants,
produits utilisés ou région. Les enquêtes
durent généralement une heure ou deux,
sont bien payées et peuvent prendre la forme
d'un groupe de discussion, d'enquête en
ligne, de questionnaire téléphonique, de test
dans un lieu public ou de face-à-face.

Activités en extérieur 188
Adresse Internet, liste 220
Agios 18
Alcool 42, 48, 152, 153, 154, 187, 197, 20 *voir* aussi Boissons : restaurants et bars
Allaitement 207
Améliorer son chez-soi 100-102
Amis, aide 9, 20, 21, 22, 37, 60
Animaux domestiques 149
Appareils électriques 102-105
Argent de poche 31
Assurance maladie 35
Assurance-vie 36
Astringents, produits 139

Babysitting 34, 207
Bains et produits de beauté 137-140
Ballon d'eau chaude, isolation 57
Baptême 197
Bibliothèque 170, 218
Biens : augmentation de la valeur 13 ; conversion en liquidité 12 ; échanger 17 ; liste de ses 12 ; qualité et quantité 16 ; vendre 17, 216, 219
Boissons : au travail 25, 28 ; restaurants et bars 155-159 *voir* aussi alcool
Boîte souvenir 167
Bons de réduction 203

Bourse étudiante 38-39
Brocantes et vide-greniers 210-213
Budget, établir un 11, 19, 22-25, 109, 178, 196, 200, 206

Cadeaux : achat 161-164 ; budget 196 ; cadeaux maison et paniers garnis 164-169 ; Noël 203, 205, 210 ; paquets 149, 162, 163 ; pour un bébé 207
Camping 180
Carte de crédit : garder une trace 15 ; interdiction 18 ; limiter l'utilisation 39 ; paiement différé 12, 183, 215 ; utilisation à l'étranger 179 ; utilisation sur Internet 214, 215
Carte de fidélité : compagnie aérienne 182, 183
Cartes 162, 163, 205
Cartouches d'encre 175
CD 169, 170, 213
Cellulite 143
Centres de loisirs 41
Chambres d'hôtes 180
Chaussures 134-137, 209
Chèques en bois 18
Chocolat 53, 75, 166, 198, 199
Cinéma 159, 160, 161
Clubs financiers 37
Coach personnel 46
Communications 29-31
Compagnies d'assurance 25
Compte en banque 16

Comptes, tenir ses 37
Compteur d'eau 59-60
Concerts 159, 186, 189, 191
Condiments 75
Conduire 60-64 ; assurance 64-65, 185 ; covoiturage 25
Conduire 60-64, 182, 183, 185
Confettis 194
Confiture 168
Confitures 168
Congé maternité 32
Congélation 58, 72, 83, 84, 85, 104
Correction et relecture 215
Cosmétiques 141-143
Coton, boules de 140
Course à pieds 40, 46
Critiques, écrire des 216
Croisière 179
Cuisiner 71-78, 165
Cure thermale 150

Déboucher un évier 98
Déclaration d'imposition 150
Découvert : frais 18 ; remboursement 16
Demeures historiques 192
Dentaire, frais 52-54
Dépenses : achat impulsif 19 ; attitude face aux 15-19 ; comparer 16, 34, 48 ; contrôler ses 13 ; dépenser moins au supermarché 66-71 ; frais de port 16 ;

habitudes 20–22, 27 ; jouer à la marchande 34 ; listes de courses 19 ; poser une limite 15 ; priorités de la vie 15 ; réduire ses 25 ; shopping malin 208-210 ; supermarchés 18 ; surveiller ses 12
Dépenses : annuelles 23 ; excès 22 ; factures exceptionnelles 24 ; imprévues 23 ; paiements partiels 24 ; priorités 23
Désodorisants 97
Dessin d'enfant 165
Détartrer un bouilloire 98
Distributeur, frais de retrait 18
Distributeurs automatique de boissons 28
DIY 109
Douches 60
DVD 148, 169, 170, 202, 213

Échanger 17, 35
Économie d'énergie 55-58
Économies : compte épargne 25 ; et dettes 16 ; pour les enfants 32, 33, 34
Éducation 32
Emballages 94, 220
Emprunts immobiliers 8-11 : budget 11 ; comparer les prix 8 ; courtier 9, 10, 11 ; fin du remboursement 32 ; flexibilité 10 ; frais

et commission 9, 10 ;
montant initial 11 ;
produits accessoires 11 ;
remboursement par
anticipation 8 ; réserve
d'argent 11 ; taux
d'emprunt 10
Enchères, sites Internet
de vente aux 17, 21, 38,
125, 174, 214
Enfants 31-36, 42, 132-133,
162, 165, 167, 212 ;
fêtes 201-203
Enseignement 215, 216
Entraînement sportif 44, 46,
47
Épilateur 143
Épilation à la cire 144
Équipement de sport 44-45,
46, 47
Étude de marché 221
Études cliniques 215

Factures 54-58
Faire la poussière 97
Famille, dépenses
de la 31-36
Farine 84
Fer à repasser 98
Festivités 197-199
Fête de naissance 206
Fête des mères 168
Fêtes 199-201 : pour
enfants 201-203
Fitness, DVD de 41
Fleurs 165, 196
Fond de teint 142
Four, nettoyage 99
Fromage 84, 89
Fruits 82, 90

Gagner de l'argent 215-217
Galeries d'art 186, 192
Gestion des dettes : conseil
15 ; établir les priorités
15 ; remboursements 8,
10, 14, 18
Glaces maison 75
Gratuits 164, 217-221
Gros, acheter en 39, 67
Groupes de parents, sites
Internet 220
Groupes, visites 219
Gymnastique 40, 42, 43

Halloween 198
Happy hours 156
Haricots 77
Hôtel 181, 182
Huiles 89
Huiles pour le bain 168

Impôts locaux 58
Impôts, remise d' 55
Imprévus, somme réservée
aux 23, 37, 38
Intérêts 12, 17, 18, 38
Internet : acahts 21, 47,
51, 69, 214-215 ; gratuits
164, 218, 219, 220 ;
jeux 176 ; logiciels 175 ;
musique 169, 170 ;
restaurants 156 ; solutions
103 ; souscriptions 176,
177 ; ventes 22, 216 ;
voyager 179 ; voyager
en avion 183
Internet, connexion 29, 30, 31

Jardinage 113-115, 166
Jardins 189, 190

Jeux : consoles 176 ;
en ligne 176 ; patins
à roulettes 191 ;
revendre 170
Journaux 172, 174, 218
Journée de services 166, 199
Jus de fruits 73

Karaoké 200

Lait 76, 83, 89
Lait corporel 139
Légumes 81, 85, 90
Légumes secs 89
Ligne téléphonique 29
Liquide : payer en 13 ;
vendre ses biens pour
obtenir du 12
Lit de bébé 206
Livres 171, 172, 176, 219
Lotion pour bébés 140
Louer sa maison 217
Louer une maison
de vacances 182
Ludothèque 206
Lune de miel 193
Luxe moins cher 148-151
Magazines 171-174
Maison, vendre et acheter
111-112 ; échanges 180
Manucure 144, 149
Maquillage 141-143
Marchandises, cycle des 210
Marche à pieds 44, 45
Mariage 193-196
Mariages 193-196
Marques 24, 34, 51, 67, 68,
125
Mascara 142
Massage 43, 149

Médecine et pharmacie
47-52
Médicaments génériques
24, 49
Ménages avec un seul salaire
37-38
Menus 86-88
Mères et enfants, groupes
de 206
Meubles et tissus
d'ameublement 105-108
Mijoteuse 86
Mode voir vêtements
Modèle pour les beaux-arts
217
Montagnes 189
Müesli 76
Musées 186, 192
Musique, téléchargement
169, 170

Nettoyer 94-99
Noël 203-205
Nouilles 77
Nourriture : achat en gros
28 ; au travail 26, 28, 32 ;
bio 90-91 ; conservation
82-85 ; cuisiner 71-78 ;
en voyage 182 ; gratuite
168 ; pique-niques 167 ;
recevoir à dîner 152-155 ;
restaurants et bars
155-159 ; restes 72, 73,
78-82, 158

Objectifs 12, 13, 44
Œufs 82
Offres de démonstration,
logiciels informatiques
174

Ombre à paupières 141
Ordinateurs : achat 39 ; dépoussiérer 177 ; électricité statique 177 ; éteindre 58 ; garanties 175 ; modem 176 ; ondulateur 177 ; pare-feu 175 ; recycler 175

Packs 29, 31
Pain 72, 75, 82
Panels de consommateurs 218
Panels des consommateurs : groupe-test 218, 219
Papier de soie 164
Parcs 188, 189, 191
Parfum 140, 150
Pâte à sel 202
Pâtes 76
Patins à roulettes 191
Pédicures 144, 149
Peinture sur verre 165
Pères Noëls secrets 203
Pharmacie et médecine 47-52
Photographe, mariage 195, 196
Piñata 202
Pique-niques 167, 168, 193
Plages artificielles 189
Plaisirs, petits 36
Planétarium 189
Plastique 93
Poêles 88, 89
Poésie 198
Poids du corps 48
Poisson 88
Pommes de terre 78, 82
Porcelaine, vente de 219

Port, frais de 16, 149
Poste 162
Poudre à joue 142
Poudre à joues 143
Prélèvement automatique 55
Première classe, voyage en 151
Prestataire de service 24

Qualité 16, 36

Randonnée 188, 189, 191
Recevoir à dîner 152-155
Recyclage des cannettes 217
Réductions : au travail 216 ; codes 220 ; étudiants 39 ; Internet 51 ; journaux 172 ; magasins 18, 138, 197 ; offres 19
Réfrigérateurs 58, 75
Relooking 148
Remboursement 16, 18, 19
Rendez-vous et sorties pas cher 186-192
Restaurants et bars 155-159
Retours d'articles, conditions 208, 215
Retraite 34
Réutiliser et recycler 92-94, 164, 173
Revendre 17, 22 ; brocantes et vide-greniers 210-213
Revenus, calcul des 13, 23
Riz 77
Rouge à lèvre 141, 142

Saint-Valentin 167
Sandwiches 82, 88

Sang, don du 215
Santé : assurance 52 ; clubs de sport 43 ; contrôles de routine 50 ; forme et santé 40-47 ; praticiens de la santé 46
Sels d'Epsom 140
Sels pour le bain 167
Shampooing 145, 146
Shopping voir dépenser
Siège auto pour enfant 206
Site Internet, monter un 216
Société de crédit mutuel 204
Soins capillaires 144-147
Soins de beauté 143-144
Soldes 205, 208, 209
Sondages 219, 221
Soupes 78, 154
Sourcils 141, 143
Sport en plein air, cours 44
Sports des neiges 189
Sports nautiques 189
Start-up, entreprises 220
Stylistes 150
Sucre 53, 76
Sucreries 167

Tabac 42, 48
Tableau 37
Taches 99, 131
Téléphone 29-31
Téléphone portable 29, 221
Télévision 17, 30, 31 : audiences 220
Testament 35
Thé 75, 92
Thé, prendre le 151
Théâtre 160, 161, 189
Thermostats 55, 57

Tirelire 12, 32, 38
Tissus 107
Trains 185
Transports 182-185
Transports publics 27
Travailler ailleurs 181
Travailler chez soi 26
Travaux de construction 109-110

Vacances, voyages et 177-182, 205
Vaseline 140
Vélo 26
Vendre : en ligne 22 ; ses biens 17, 216, 219
Vente aux enchères 151, 214
Vernis à ongles 141
Verres 47, 51
Vêtements : achats 116-122 ; acheter 209 ; costume 28 ; déguisements 199 ; entretien 130-132 ; mariage 193, 194, 195 ; mode à domicile 127-129 ; occasion et vintage 122-124 ; pour enfants 132-133, 206 ; recycler et réutiliser 130 ; réparer et adapter 126-127 ; vendre et échanger 124-126 ; ventes privées 151
Viande 70, 71, 76, 78-79, 81, 153
Vin, dégustation de 187
Vinaigre 96, 97
Visage, soin du 151

**IMPRIMÉ À DUBAÏ,
ÉMIRATS ARABES UNIS**